D0415697

TROUBLES DE FEMMES

TROUBLES DE FEMMES

nouvelles

Monique Ayoun - *Calixthe* Beyala - Lisa Bresner
Muriel Cerf - Jeanne de Berg - *Régine* Deforges
Marie-Laure Dougnac - *Michèle* Larue - Agnès Michaux
Nathalie Perreau - Katherine Quenot - *Françoise* Rey
Astrid Schilling - *Agnès* Verlet

Ouvrage dirigé par Marc Dolisi

SPENGLER

ISBN 2-266-06561-0

Cet ouvrage est dédié à Nathalie Perreau

Calixthe BEYALA

LA SONNETTE

En fin de compte, je suis tout à fait incapable de participer aux manières et aux désirs des hommes. Non seulement leurs parties de baise ne me font pas jouir, mais je suis dans l'impossibilité de supporter leurs odeurs, leurs clins d'œil, leurs plaisanteries, leurs soi-disant responsabilités, leurs pets et leurs rots. Je sais aujourd'hui ce qui me les fait détester à ce point : la femme. Oui, je suis totalement féminine, pile et face. Je suis très belle et très consciente de ma magnificence. J'aime les guêpières et je hais les coupes à la garçonne, les jeans, les pulls larges dont certaines connes s'affublent. Pour cacher quoi ? Pour démontrer quoi ? Tous les hommes me ressentent comme une concurrente. Je suis tellement fascinée par les vraies salopes, si admirative de leurs béances, que les méats un peu intelligents me trouvent suspecte au premier coup d'œil.

L'histoire se déroule il y a deux ans. Je débarque à Paris. Je n'avais jamais baisé du Blanc. En fait, l'idée me séduisait, une sorte de safari à l'envers où j'aurais plaisir à braquer une queue bien violacée pour en faire un objet de plaisir.

C'est l'heure du déjeuner. Je suis assise en face de Josette. C'est une belle grande de vingt-huit ans. Elle occupe un poste à l'atelier de confection où je suis employée comme OS. Elle dépose sa tasse, elle dit :

« Sans exagération, je te jure qu'il en a une énorme comme ça. C'est mon tour cet après-midi. »

Et elle fait exactement le geste du pêcheur qui se targue d'avoir attrapé un gros poisson.

« Tu exagères, ma chérie. Si c'était le cas, il t'aurait déjà transpercée, le patron !

– Ton tour viendra, je te dis, et tu verras bien, ce jour-là. Toutes les filles y sont passées. Un vrai taureau ! T'as jamais fait attention à la sonnette ? Ça sonne deux fois par jour et chacune à notre tour, on va se faire foutre par lui. Il est insatiable !

– Et sa femme !

– Elle ? C'est le genre coincé toujours en tailleur et collant. De quoi désexciter tous les glands, parole !

– Tant mieux pour M. Demis si la nature l'a gâté à ce point.

– Je m'en serais bien passé, ma chère ! Quand ça sera ton tour, tu m'en diras des nouvelles.

– Je ne l'intéresse pas ! Après tout, voilà plus de deux mois que je travaille avec lui. Mais il ne m'a jamais fait d'avances.

– M. Demis est distingué et redoute le

scandale. Il observe attentivement sa proie avant de se jeter sur elle ! Un vrai mâle, quoi !

– Tu aimes quand il te baise ?

– Non. Mais que veux-tu faire ? C'est la rue si je refuse d'y passer. Je ne veux pas prendre de risque. »

Je sais que cette petite garce, malgré ses allégations, en prend du plaisir. Elle sait conjuguer à la perfection dévouement et désir. Je regarde attentivement son petit nez légèrement retroussé, extraféminin ; son menton volontaire mais plein de désirs contradictoires ; ses lèvres ourlées. J'aime ces lèvres. Lorsqu'elles sont closes, elles donnent envie de les sucer comme pour se gorger de jus de mangue. Elles s'entrouvrent sur deux rangées de perles étincelantes et une petite langue rose, assez mutine, qui alimente les pensées les plus intimes.

Je serre mes jambes. Je me lève de table, paye mon café et me jette dans la rue. Il fait beau en ce mois de décembre. J'ai une heure devant moi avant la reprise du travail.

Je débouche place Pigalle. Combien de fois l'ai-je arpentée ? Il m'arrive, les dimanches surtout, de la monter et la redescendre une bonne dizaine de fois. Et les séismes qui me secouent lors de ma descente aux enfers célestes de cette rue n'ont d'égaux que ma fascination pour les putains qui exhalent parfum et sperme. Je connais par cœur certains visages, les négresses Banania, les Blanches méprisantes, les racoleuses, celles qui ont beaucoup vécu, les occasionnelles, les fatiguées... Puis ces hommes en paquets, des Arabes, des Noirs, des Blancs, des déglingués. Toute cette faune qui examine la marchandise, évalue la consistance de la croupe. Je peux reconnaître celles qui viennent de se donner et je me demande si elles savent prendre. Quand elles redescendent, elles me reconnaissent, on se sourit. Je passe et repasse indéfiniment devant cette magnificence de l'univers, pour le seul plaisir de les sentir, de les frôler, et ensuite, seule dans ma chambre, de m'adonner à la joie du vice solitaire.

Mais, ce jour-là, je ne tiens plus. J'entre dans un magasin. Il y a tout l'attirail pour se métamorphoser en sublime putain.

J'achète.

De retour au bureau, je travaille en gardant mon manteau. Je regarde l'heure : dans dix minutes la sonnette va retentir, et Josette va rejoindre le patron. Je quitte précipitamment l'atelier. Je me dirige vers le bureau.

« Que voulez-vous ? me demande la secrétaire. Monsieur est occupé. Allez attendre la sonnette.

– Il n'y a plus de sonnette », dis-je.

Elle est surprise par mon assurance. Elle est jalouse et cela se voit. Autrefois, elle a été la maîtresse de M. Demis. Sa putain, plus précisément. Il s'en est lassé avec le temps.

« Monsieur ne m'a pas dit... », commence-t-elle.

Je la coupe net.

« Monsieur ne vous dit pas tout. »

Elle capitule, à contrecœur. Je suis pressée. J'entre sans frapper. M. Demis a un geste de surprise en me voyant.

« C'est pas un moulin ici, dit-il. Il faut prendre rendez-vous avec ma secrétaire si l'on désire me parler. »

Sans une parole, j'ouvre mon manteau. Je lui apparais alors dans une tenue tellement érotique que le stylo lui échappe des mains, que ses lèvres s'ouvrent comme celles d'une carpe malienne, que ses yeux s'écarquillent comme ceux d'un enfant face à un arbre de Noël alourdi de cadeaux.

« Oh ! Oh ! Oh ! »

Il vient de se dresser du fauteuil. Son grand ventre pend lamentablement. Il a cinquante et un ans. Il grisonne. Et ses yeux de presbyte me regardent comme un fou. La nudité totale de ma poitrine le captive. Le soutien-gorge est presque inutile. Les bonnets sont si petits que mes seins volumineux sont entièrement libres, simplement rehaussés de renfort comme si deux mains d'homme les soutenaient. Les pointes sont droites. J'apprécie ce moment triomphal de ma féminité. Tout ce que je porte est noir. La fermeture Éclair obstruant l'ouverture du slip indique qu'on peut avoir accès à mes parties les plus secrètes avec un peu d'ingéniosité, sans arracher les jarretelles.

Soudain décidé, il ouvre sa braguette. Un pilon jaillit à l'horizontale. Mon visage ne trahit pas ma stupéfaction. Excitée, je le suis bien. La moiteur entre mes cuisses le prouve. J'ai envie de me toucher. Je me contrôle. Salope, je le suis, et l'expérience avec mes cinquante amants m'a démontré que le meilleur moyen de soumettre un homme passe forcément par le contrôle de son propre désir. Il s'approche de moi. Il me prend dans ses bras. Il m'embrasse. Il fouille ma bouche d'une langue experte tout en caressant mon intimité sous le slip. Impatient, il s'aide de son avant-bras pour balayer le dessus de la table. Il pousse registre et instruments qui tombent. Je m'assieds moi-même, fesses bien coincées sur le rebord de la table, jambes bien écartées. Des doigts fébriles ouvrent mon ventre. Et tout à coup, il s'abaisse, il s'agrippe aux hanches et s'oublie aux tréfonds des chairs accueillantes. Il m'empale. Il coulisse lentement. Pas bête l'amant. Ça se voit qu'il a une grande habitude de la femme. Les coups de reins s'accélèrent. Je me mords les lèvres pour ne pas gémir. Je dégage la bête au moment où je sens qu'il va mourir de sa petite mort. Il me regarde, hagard. De mes deux mains appuyées sur ses épaules, je l'oblige à se baisser. Il hésite quand je lui tends mes bottines.

« La règle du jeu change », dis-je.

Il lève la tête, surpris. Mais la détermination au fond de mes yeux le dissuade de toute rébellion. Il me déchausse. Il baise la cheville, les orteils, les ongles vernis. Puis lâchant mes pieds, sa langue prend possession de mes parties intimes. Il lape avec délice le suc féminin et quand je lui sors la tête de mes profondeurs, ses traits barbouillés sont tels que je lui aurais donné dix ans de plus.

« Enlève ton pantalon, dis-je. Et mets-toi à quatre pattes. »

Il tremble un peu. Mais bientôt, chaussures et

chemise, pantalon et chaussettes volent sur la moquette. Je m'attendais à un peu plus de résistance de la part de mon amant. Je suis éblouie par sa docilité. Il s'agenouille et attend. Il a l'air comique, noix de coco en l'air.

« Je crois que je vais m'amuser, dis-je, sarcastique. Dis, patron, si t'étais à ma place, ne rirais-tu pas de toi et de ta triste posture ?

– Non... pas maintenant... Après peut-être. Mais l'instant que je vis grâce à toi est exceptionnel. Je ne demande qu'une chose, c'est d'être plus souvent dans cette position grâce à toi !

– J'y songerai, sois-en certain... Maintenant, à genoux ! Mieux que ça ! Laisse-toi tomber. Creuse les reins. Relève les fesses. C'est bien. Tu obéis convenablement. Je suis heureuse que tu sois bien outillé. Mais sache que cela ne suffit pas. Ce que désire une femme, c'est une belle bite bien dressée entre les jambes. Allez, masturbe-toi ! »

Que c'est bête, idiot et excitant un homme à quatre pattes ! Je le contourne. Je me poste derrière lui. J'ouvre la vallée de ses fesses. Je le fouille. Je m'arrête sur l'anus. Je le titille. Je le force dans son chou de Bruxelles. Sensation ineffable ! J'encule mon patron ! Je le sodomise. L'homme est à moi. L'homme est en ma possession. Il gémit, les yeux clos. Il contracte ses muscles...

« C'est la première fois qu'une femme t'encule ?

– Oui, avoue M. Demis, le souffle court, les yeux fermés. C'est la première fois tout court.

– C'est bon ?
– Oui, dit-il.
– Attends, mon cochon, ce n'est pas fini. »

De l'autre main, j'enveloppe ses prunes siamoises. Je les malaxe aimablement. Puis j'empoigne carrément le pilon et ma main se referme autour comme si je voulais l'étrangler. Il s'agite, stoïque, prêt à éclater.

« Tu veux jouir ? Je ne vais pas t'en empêcher, au contraire. »

Je m'agenouille sous son nez, les fesses bien relevées, les coudes profondément enfoncés dans la moquette.

« Approche ! », dis-je.

Il rampe. Il m'attrape en levrette. Il est déjà entièrement en moi. Il y a un floc ! flac ! terrible là où ça se passe. Merveilleux amant. Il me fait jouir trois fois et décharge autant de fois tout en rechargeant ses batteries. Il repart à l'assaut. Non, non, non ! Il change d'endroit. Son membre s'enfonce au maximum dans le sphincter dilaté. Ses couilles viennent battre la fente rose et humide. Une main caresse le clitoris irisé. Le téléphone sonne et mon patron décroche tout en poursuivant sa possession anale.

« Je vous passe votre femme », annonce vicieusement la secrétaire. « Ma femme ! », s'écrie-t-il surpris. Je lui arrache le combiné des mains. « Passez-la-moi... Allô ! Mes respects, madame, je tenais à vous informer que votre époux est mon employé pour les six mois à venir. »

Madame hurle. Je lui raccroche au nez. Mon

patron a trouvé la scène si excitante qu'il fuse en longues rafales. Une merveille !

Je me dégage. Je me tourne vers lui. L'œil unique pleure. Je récupère le reste du ngombo pilé. Je suce. Je déglutis. Je lape les dernières gouttes. Il souffle. « Tu es la plus délicieuse maîtresse que j'aie jamais eue. Je suis à ta disposition. Je n'espère qu'être l'heureux esclave de tes caprices. »

Je ne réfléchis pas longtemps. Je sors une feuille jaunâtre, la déplie et la lui donne.

« Qu'est-ce que c'est ? demande-t-il.

– C'est la facture des sous-vêtements suggestifs qui viennent de te faire jouir. Tu dois me les rembourser.

– Deux mille cinq cents francs ! Mais c'est trop cher ! »

Je le regarde sans ciller. Il hoche son crâne grisonnant. Il dit :

« Donne-la à Yvette. Elle la passera dans les frais généraux de l'entreprise.

– Ce n'est pas tout, dis-je.

– Qu'est-ce que tu veux d'autre, mon amour ?

– Deux cents francs chaque fois que je viendrai te voir ! »

Il hésite. Il sort son portefeuille. J'entends le bruit caractéristique des billets de banque. Je les enfile dans mon soutien-gorge. Avant de quitter son bureau, je ramasse la sonnette sous l'œil surpris de mon patron.

La secrétaire me regarde, les yeux pleins de haine. Elle vient de comprendre que j'ai la clef des sept merveilles. Mais cette haine fait aussi partie de mon plaisir. À l'atelier, Josette m'affronte.

« Garce ! », dit-elle, venimeuse.

Je ne réponds pas. Je vais aux toilettes. Elle me suit. Elle referme la porte derrière nous :

« T'as pas le droit, me dit-elle. C'était mon tour. »

Je la regarde. Je sais qu'elle est soumise de nature, comme les autres filles de l'atelier d'ailleurs. Il faut aller droit au but.

« C'est moi qui décide désormais, dis-je. Enlève ton slip. »

Elle gamberge un peu. Comme toujours, elle ne prend pas de risque. Elle m'obéit.

« Josette, dis-je, Josette, tu as envie de m'aimer, n'est-ce pas ? Tu veux que je remplace cet imbécile de patron ? Dis-le. »

Déjà je la pousse contre le mur. Je m'attaque à son grand pull-over que je passe au-dessus de sa tête. Je m'attaque à ses seins. Je les mordille amoureusement. Puis je me baisse. Elle est velue, la coquine. J'écarte soigneusement sa somptueuse pilosité. Un long doigt s'occupe du clitoris. Un autre entreprend un va-et-vient dans l'avocat moelleux.

« Tu veux être dominée, ma petite salope ! C'est ce que tu veux... Ouvre, ouvre-toi. »

Elle soulève sa jupe et écarte ses jambes.

« Je ne veux plus te voir attifée comme une souillonne, tu m'entends ? Je veux te voir en jarretelles, en bas et bien maquillée. Est-ce clair ? » dis-je sans cesser de tourmenter ses parties intimes. Elle hoche la tête. Elle se met à pleurer, effondrée de plaisir tandis que je me glisse doucement sur son ventre et que mes lèvres se perdent dans la fente rose ourlée de longs cils.

Deux ans ont passé. Mon compte en banque a pris du poil de la bête. M. Demis est mort de sa belle mort il y a six mois, lors d'une séance de balançoire. J'ai hérité de la sonnette. Je veux bien m'en débarrasser. Je veux être femme sans responsabilité. Mais personne n'en veut. Elles se vengent, les garces ! J'ai beau leur présenter les avantages de la sonnette, elles s'obstinent. Elles savent qu'avoir la sonnette, c'est porter sa sexualité dans son crâne. Elles me font la danse du sauvage. Elles me coursent. Elles veulent tout. Elles deviennent méchantes. Elles me croquent. Elles doivent aimer du Nègre. Terrible cauchemar que de vivre dans un monde recouvert de pertes blanches.

Katherine QUENOT

CÂBLEZ-MOI

Il est plus bas que moi : il est à quatre pattes par terre. Je le regarde depuis mon bureau où je fais semblant de taper quelque chose d'extrêmement sérieux sur mon ordinateur portable. Il est jeune, il est brun, et il fait « han, han, han » avec ses lèvres tout en tirant de toutes ses forces vers lui un gros fil qui dépasse d'un trou dans le mur. Ce « han, han, han » est fascinant. Il ahanne, l'installateur de TV Câble, de ses lèvres charnues légèrement en cœur. Son « han, han, han » va et vient dans sa petite caverne à baisers, juste à la pointe de sa langue rose qui apparaît de temps à autre comme un bonbon à la framboise qu'il serait en train de sucer. Dès qu'il est entré tout à l'heure, je me suis dit que j'allais m'amuser à l'observer comme un insecte, tandis que, simultanément je ferais un compte rendu de mes impressions. Le seul problème est que, déjà, mes impressions s'affolent. J'aimerais assez le consigner sur mon tableau de chasse, l'installateur quadrupède.

Et pourquoi pas ? me dis-je rêveusement, en

me dévissant un peu sur le côté afin d'essayer de voir si je n'aperçois pas quelque chose d'un peu évocateur entre ses jambes.

Tiens, voilà que l'homme s'arrête un instant pour reprendre son souffle. Pas plus de vingt ans, ce bijou. Il relève la tête. Il a fini de faire « han, han, han » et je regrette déjà ça.

« Il y a tout un micmac, là-dessous... », marmonne-t-il en me montrant d'un air effaré les serpents de fils que mon mari a enroulés sous le meuble. » Je compatis au micmac.

« Vous voulez que je vous aide ? je demande, accorte, pendant que mes doigts agiles pianotent simultanément sur le Mac cette retorse proposition.

– Ça ira », brise-t-il, irrémédiablement, mes espoirs juteux.

Il entreprend alors de débarrasser le meuble télé du magnétoscope et des cassettes vidéo et, tout le temps qu'il s'escrime, mon petit brun, moi, du haut de mon bureau panoramique, cachée derrière mon écran, je ne vois que des fesses qui s'agitent et des lèvres à travers lesquelles continue de défiler toute une clique d'onomatopées bizarres. Il ne parle pas, cet homme-là : il clabaude, il chicote, il craquète, il gringote. Il animale, quoi ! Et moi, les mâles animals, ça me fait feuler. Je n'en peux plus.

Voilà qu'il me regarde d'un seul coup d'un air pensif. Mon sang ne fait qu'un tour, un tour de con.

« Vous voulez un café ? je lance, fébrile, à tout hasard.

– Non, répond-il impitoyablement, je cherche la télécommande. »

Ses yeux tombent sur la table où je travaille, je pousse légèrement mon Power-Book pour qu'il ne voie pas ce que j'écris.

« La voilà ! », exulte-t-il.

Il est à cet instant totalement de face, juste devant mon bureau. S'il avance d'un pas, sa bite se frottera inévitablement contre le bord dur du bois, suite à quoi elle grossira certainement jusqu'à devenir d'une turgescence adéquate tandis que son regard s'enfoncera dans mes yeux allumés d'une conjonctivite concupiscente.

Mais il a déjà fait demi-tour et retourne vers la télé pour continuer à me câbler. J'aime bien qu'il me câble. S'il pouvait me câbler jusqu'à l'os, ça serait mieux.

Voilà : je sais. Je vais écrire nos débats lascifs, là, devant lui, derrière son dos. Pendant qu'il est occupé à me brancher, je vais lui faire son affaire : le soumettre, le démettre, surtout le mettre. Mais il me faut quelques renseignements supplémentaires pour bien situer le personnage.

« Monsieur ? »

Il tourne sa tête gréco-romaine vers moi d'un air interrogatif. Il n'a pas encore fini de suçoter sa petite langue à la framboise que j'entrevois encore à la pointe de sa bouche. Je l'y aiderais bien volontiers.

« Vous câblez depuis quand ? », j'interroge scolaire.

Pas de réponse. Des yeux noirs, sauvages, de l'âge de Cro-Magnon. Mon cœur papillonne un instant dans mes tempes et puis, d'un seul coup, d'un seul, tombe en chute libre dans mon bas-ventre qui se met à faire des vagues. Très discrètement, je plonge ma main sous ma jupe afin de voir si je peux être d'une quelconque aide au drame souterrain qui s'y trame. J'arrive à temps : c'est l'inondation.

« Vous avez toujours câblé dans votre vie ? » j'insiste avec ferveur.

Ses yeux ronds annoncent que l'homme se désarçonne alors que ce que j'attendrais de lui, moi, c'est qu'il me culbute. Il bafouille, onomatopète, mais me sourit quand même au final. C'est alors que, de but en blanc, il s'empare du terminal du câble.

« Madame, où est-ce que je le mets ? »

J'oublie de respirer. Heureusement qu'il répond à ma place.

« Au-dessus du magnétoscope, bien sûr. »

Et le voilà reparti à la peine. Il ne pense qu'au travail, cet homme-là. Je soupire, résignée. Bon, détaillons-le, ça me servira tout à l'heure, quand il sera parti. Plus je me souviendrai de ses petits détails croquants, mieux je pourrai en parler de façon convaincante à mon organe érectile.

Voyons... Il doit être d'origine... une origine chaude. Il sent le mâle à plein nez. Et j'ai du flair, vous savez. Vingt ans que je les renifle. De loin, de près, de l'odeur approximative d'une vision furtive à l'inhalation appliquée de la moindre parcelle de leurs corps. Moi aussi, j'ai un appendice efficace...

Alors, voyons. Une paire de jean, des chaussettes... (je me penche discrètement) elles sont noires. Il vient de remettre son sweat-shirt sur son tee-shirt, l'un est noir, l'autre blanc, et, fin du fin, dans une des poches revolver découpées sur son petit cul, dépasse le manche d'un tournevis. Il se balade comme ça, l'inconscient, il tourne et virevolte avec ses fils, puis, sans prévenir, se remet à quatre pattes, le torse presque par terre à force de vouloir observer les dessous de mes embranchements électriques, le cul en l'air, cambré, avec son manche qui saille. L'autre fois, je m'en suis enfoncé un tout pareil dans la chatte, que j'étais allée emprunter dans la boîte à outils de mon mari. C'était fort intéressant. Peut-être bien que la prochaine fois, j'essayerai les tenailles. Le contact froid du métal enserrant mon long clitoris pourrait bien être une expérience appréciable.

À force de voir mon installateur prendre toutes les positions possibles pour me câbler, je commence à me demander s'il ne le fait pas exprès. Son petit cul est toujours au premier plan, à chaque instant présenté sous une facette différente. Ah, comme j'aimerais en savoir un peu plus sur lui... Imaginer ses mots crus lorsqu'il viendrait planter son drapeau dans ma lune... Hélas, je connais si peu le son de sa voix, bien que ses « han, han, han » me soient à jamais inoubliables.

« Mais vous câblez donc à longueur de journée ? dis-je, toute pâmoison.

– Oui, M'dame, daigne répondre mon dulciné.

– Et ça vous plaît ? »

Il hausse les épaules.

Maintenant, il vient de trouver encore une nouvelle position équivoque. À genoux, ses talons contre ses cuisses, une main pensive soulevant une brise légère dans ses cheveux. Il cherche. Que cherche-t-il ? Peut-être pourrais-je venir à son secours ? Mais il prend les devants.

« Madame ?

– Oui, déglutis-je.

– Je vais vous montrer comment ça marche. »

Je me lève, hagarde, en susurrant qu'effectivement je ne sais pas très bien comment ça marche, que j'ai sans doute besoin de leçons.

« Votre prise Péritel, elle travaille pas, dit-il. J'ai bricolé pour que vous puissiez avoir *« Ciné cinéfil »* et *« Ciné cinéma ».*

– Ah oui ? fais-je en le frôlant imperceptiblement. Vous êtes anglais, américain ?

– J'ai passé un an à New York, explique-t-il laconiquement. Il faut d'abord appuyer sur « vidéo » avec votre télécommande. Vous *see* ?

– Heu... dis-je, le regard et l'esprit immanquablement attirés, à cause de la pesanteur, vers la bosse cruelle que fait maintenant son jean.

– Et pour regarder une cassette, poursuit-il, vous devez d'abord éteindre le Vidéopass et puis appuyer ensuite sur la télécommande. Le 12. *It's normal.*

– *It's normal ?* je répète, à deux doigts de la syncope.

– Je vais vous montrer.

– Me montrer quoi ? »

Je halète, tremble, perds la tête, aperçois mon ordinateur et me raccroche désespérément à l'instrument voyeur.

« Juste une minute, je bredouille. Je finis ce que j'étais en train d'écrire. Je suis à vous tout de suite. Tout de suite... »

Pendant que je complète mon rapport, voilà qu'à mon grand étonnement l'homme se baisse, fouille dans sa mallette et en extrait une cassette.

« Vous avez apporté une cassette avec vous ? veux-je assouvir une légitime curiosité.

Sans le moindre mot de réponse, il enfile illico la cassette dans le magnétoscope. Puis il se tourne vers moi en me regardant avec un étrange sourire. Je ne peux distinguer ce qui est apparu à l'écran parce que son beau corps fauve se trouve juste en travers.

« Qu'est-ce que... ? »

La fin de ma question meurt sur mes lèvres. L'installateur vient de faire pivoter le téléviseur sur son plateau et me présente l'image. Je rougis jusqu'à la pointe de mes seins. Une femme est allongée, les jambes très écartées que des regards avides matent, avec une forêt de bites au-dessus d'elle, grosses comme des branches, qu'elle suce alternativement. Des coulures de sève débordent de sa bouche. J'avale ma salive avec difficulté. C'est alors que tout à coup, l'intérêt de l'image à la télévision passe au second plan. Car l'homme vient d'ouvrir sa braguette et en a sorti sa queue.

Elle est longue et pointue comme celle d'un chien.

Je sens d'ici son parfum musqué qui rampe vers moi et se fraye un chemin jusque sous ma jupe.

Ma gorge est sèche. Le reste dégouline.

L'installateur frotte sa bite contre la bouche de la femme qui s'offre à la télévision.

Je vais me lever, je me lève... la suite, c'est à ma chatte qu'il faudra le demander...

Eh bien non, je me suis trompée... Me voilà revenue devant mon ordinateur. Pourtant, l'homme, lui, est toujours là, la queue sortie.

Quand je me suis approchée de lui, il m'a repoussée. Il ne veut que mon regard. Alors je suis allée me rasseoir derrière mon bureau panoramique et je le regarde faire ses va-et-vient contre l'écran de télé, s'accoupler à des bouches et des culs, quels qu'ils soient, hommes ou femmes, qu'importe. Il touche tout ce qui bouge, tout ce qu'il peut, attentif à ce que mes yeux ne décollent pas de sa queue.

Il jouit de mon regard, son sperme brouille l'écran. À mon tour, un doigt sur la détente, j'explose.

Le bruit d'une porte honteuse et précipitée accompagne ma montée aux enfers... Il a oublié de me faire signer, mais je ne crois pas qu'il reviendra.

Agnès MICHAUX

CARNAVAL PRIVÉ

Elle rit dans la nuit de Venise. Parce qu'un bout de sein blanc a surgi de l'ample cape jetée sur son corps nu. Et parce qu'il est drôle, à cette heure, de courir vers un rendez-vous mystérieux...

C'était l'autre jour, campo San Mosè ; tout d'un coup, elle avait senti une main dans sa poche, s'était retournée... personne. Restait un petit bout de papier bleu glissé furtivement et qui l'invitait sans pudeur à une partie de jambes en l'air dans une ruelle perdue, derrière la *Piazzetta.* Elle avait attendu l'heure dite dans un état inhabituel, rêvassant de longues heures sur l'*altana,* promenant ses mains sur ses cuisses. (Seuls les chats avaient été témoins du ballet intime de la peau contre la peau et du vertige courant derrière ses yeux mi-clos.) Oui, ces quelques lignes avaient éveillé en Veronica des désirs inconnus. Elle avait subitement eu envie de ce corps qu'elle ne connaissait pas, de son odeur... Alors elle se caressait le bout des seins en fermant tout à fait les yeux : des parfums montaient, divers, de la lagune et du commerce de la rue, et se mêlaient à l'odeur puissante qui respirait entre ses cuisses offertes au soleil de la terrasse.

Veronica court dans la nuit de Venise. Il pleut, mais la pluie d'automne est gaie et fait tout briller. Malgré le large chapeau de feutre noir, son visage pointu se pique de minuscules diamants d'eau. Arrivée au campanile, elle décide de s'arrêter. Et là, sous la pluie fine, elle écarte doucement ses cuisses et plonge dans son sexe frissonnant. Puis elle porte à sa bouche ses jolis doigts humides et goûte à ce lait blanc et salé qui, depuis quelques jours, colle au haut de ses jambes. Mais il est déjà tard et son inconnu doit l'attendre. *Ça sera drôle de voir une queue en vrai et pas en marbre !* La charmante petite et son sourire buveur de pluie tournent à l'angle de la place.

L'étroite ruelle débouche sur un minuscule *campo.* Ici, comme partout ailleurs dans la ville, règne un calme absolu et presque inquiétant. *Et s'il n'était pas venu ?* Soudain, une main s'engouffre sous la cape de Veronica et saisit sa chair avec violence. Elle est projetée contre le mur d'un vieux palais qui, en d'autres temps, abritait sans doute des bacchanales oubliées. L'homme vient de lui arracher sa cape et la force à s'agenouiller. Elle sent alors son sexe gonflé se frotter férocement sur sa peau, aller et venir de son cul à son cou. Et dans cette obscurité troublante, Veronica succombe, excitée et offerte. Elle s'imagine que, dans le noir, d'autres hommes la regardent avec la main sur le sexe et cette pensée fait monter en elle une envie impérieuse de cette queue qui bande et qui cogne contre sa peau d'enfant. Sa main fouille furieusement son petit sexe moite, son cul étroit ondule et semble appeler le foutre. Alors l'inconnu, la saisissant puissamment par la taille, s'enfonce sans précaution dans son œillet délicat. Et la souffrance va avec le plaisir se perdre dans le silence de la nuit vénitienne. Sur le *campo* désert, le beau petit cul blanc se lance dans une danse frénétique, faisant gonfler au maximum le beau sexe inconnu qui cogne sans relâche dans le trou mignon. Veronica frotte le bout de ses seins aux pavés lisses et brillants. C'est le même plaisir que celui effleuré sur l'*altana,* mais si fort, comme multiplié à l'infini... Et la ville complice fait monter de ses canaux un léger parfum de sel et d'eau stagnante, une odeur fade et un peu douce. Foutre sérénissime en plein cœur de la ville, offerte comme un sexe forcé aux élans tragiques et pervers d'une lagune amoureuse. Veronica, mêlant ses désirs aux désirs éternels de la cité marine, expulse le sexe luisant qui s'apprêtait à expulser tout son foutre, et remonte lentement vers les fesses de son inconnu, y laisse s'alanguir la pulpe de ses lèvres. C'est un abîme parfumé qui répond à l'abîme de mystère creusé par la nuit au cœur de la ville. La langue de Veronica, ivre de la moiteur de ce cul rebondi, s'empresse, s'attarde, s'introduit. Le plaisir se répand alors sur ses cuisses comme une onde nonchalante. Sa bouche chavirée embrasse le gland doux et lisse. Dérive exquise qui l'entraîne de l'intérieur d'un cul à la fierté dressée d'une verge... « La vierge de San Mosè est une drôle de salope, une charmante petite pute qui mérite bien une belle giclée de foutre ! » Et l'homme inonde sa bouche. Plusieurs jets chauds se répandent sur la langue de Veronica qui laisse doucement couler le divin breuvage aux commissures boudeuses de ses lèvres.

« Il y a, à Venise, un endroit que tu dois connaître... »

Veronica avance dans Venise la sombre, hésitante. Mais devant elle, la stature imposante de l'homme au petit billet de papier bleu semble indiquer qu'à présent il est hors de question de reculer.

Une porte s'ouvre et une femme vêtue à l'ancienne mode de Venise les accueille. Son très large décolleté laisse voir ses seins lourds et poudrés. Elle s'approche de Veronica et, soulevant la cape, effleure du bout de ses seins les seins de Veronica qui ne peut retenir un soupir. D'un doigt expert, la femme s'introduit dans la chatte de petite fille de sa charmante visiteuse et semble satisfaite. Dans le fond de la pièce, deux femmes étrangement harnachées échangent de longs baisers de fauves en chaleur. Puis la maîtresse de maison, se dirigeant vers elles : « Elle est à vous. »

Les deux sauvageonnes entraînent Veronica au milieu d'une multitude de coussins de soie verte. Ces coussins dégagent une odeur si puissante et si envoûtante... *Ils ont dû connaître tous les foutres de Venise.* Elles dégrafent la cape et commencent leur rite infernal. Pas un orifice de Veronica n'échappe à leurs doigts fébriles, à leurs langues curieuses. Elles soupèsent les seins, mordillent les cuisses, lèchent le ventre, frottent fièvreusement leurs sexes mouillés contre celui de la belle enfant soumise. Les soupirs se font de plus en plus fréquents et bientôt les trois corps emmêlés forment un essaim haletant. Veronica sent une vague irrépressible monter de son ventre et sans plus craindre la gêne ou la honte, se laisse aller à tous ses fantasmes. Comme une petite fée lubrique, elle remue son cul dans tous les sens en se branlant contre les seins de l'une des femmes pendant que l'autre lui lèche son bel œillet dépucelé une heure avant sur le *campo.* Veronica voudrait boire sans fin à ces chattes enflées d'excitation, sentir dans la bouche l'épée précise et perverse des langues de ces deux femmes en rut.

« Elle est à point, tu peux y aller. »

Et la belle queue gonflée de désir, celle qui dans les rues de Venise avait perforé le petit cul étroit de Veronica, s'enfonce d'un coup dans le sexe dégoulinant qui l'appelle. Veronica répond par de violents coups de reins à la montée du foutre et s'abandonne dans un râle aux vices de ce palais secret. Ses yeux se perdent d'un sein à un cul, d'un sexe ruisselant à une bouche avide. Tout se confond, comme si son corps ne pouvait plus résister. Elle tente en vain de fixer le va-et-vient de la queue qui la défonce, mais tout se mêle dans un tourbillon de soie verte...

« Signorina ! réveillez-vous ! Nous sommes arrivés. »

Le gondolier avait arrêté sa barque au pied d'un palais de style gothique dont l'état de délabrement n'avait, à Venise, rien d'exceptionnel.

« C'est la première fois que vous venez à Venise ?

– Sans doute... »

Veronica referma ses cuisses lentement, passa ses longs doigts vernis de rouge sombre dans ses cheveux, lança un dernier regard vers le jeune gondolier et gravit avec précaution les marches envahies d'algues du palais...

Nathalie PERREAU

HÔTEL DU CYGNE NOIR

J'ai la sale habitude de ne jamais lire les enveloppes que je trouve dans ma boîte aux lettres. J'ai ouvert celle-là comme les autres, et mon attention fut tout de suite attirée par l'écriture : on l'aurait dite déguisée ; je ne pus l'identifier mais je savais la connaître. J'allais sortir. Il faisait chaud et sous ma robe de voile noir je ne portais rien, ou presque. C'est à cela que je pensais en ouvrant la lettre. Un papier vélin, épais, une écriture lourde aux lignes sinueuses tracées à l'encre noire.

« Il m'a suffit de croiser votre regard pour comprendre. Vous êtes à moi, autant que je désire être à vous. J'imagine l'instant où vous céderez à mon désir. Je veux que vous portiez votre robe de soie rouge, vous ne mettrez rien dessous. Juste la chaîne en or avec la petite médaille représentant un hippocampe. Je vous attends jeudi, à 16 heures, à l'hôtel du Cygne Noir. Chambre 9. Ne soyez pas en retard. Ne

vous parfumez pas. Je veux respirer votre odeur naturelle, sauvage.

Je veux que vous sachiez pourquoi vous viendrez à ce rendez-vous : pour vous faire prendre, pour me donner votre corps sans aucune restriction, pour vous soumettre à mes caprices, à toutes mes fantaisies. Il y a si longtemps que vous alimentez mes fantasmes.

Le moment est venu de payer les désirs que vous suscitez. Quoi que je vous demande de faire – et que vous n'avez peut-être encore jamais osé accepter – n'oubliez pas que je vous aime. Je ne veux plus aimer que vous.

Othello »

Je repliai la lettre, sous le coup d'une vive émotion. Un mélange de peur et de curiosité s'était emparé de moi : qui pouvait bien être ce mystérieux Othello ? Il connaissait des détails intimes : ma robe rouge, le petit hippocampe d'or au bout de la chaîne que je portais parfois autour de la taille. Comment osait-il me proposer une rencontre dans un hôtel, comme si je n'étais qu'une vulgaire call-girl ? S'il faisait partie de mes proches, comment pouvait-il croire que je pourrais céder à sa demande, à sa convocation ? J'étais mariée, je vivais dans un milieu où les femmes se gardent bien de prendre le moindre risque qui puisse mettre en péril leur position sociale élevée. Si j'avais fait des folies dans ma jeunesse, il y avait bien longtemps que je menais une existence sage et irréprochable, dans le strict cadre de la liberté que Renaud, mon mari, et moi avions accepté : il avait une maîtresse qu'il voyait une ou deux fois par mois ; j'avais pris un amant, Yannick, qui libérait mes ardeurs une fois par semaine, et encore...

Ma jeunesse ! Était-il l'un des partenaires du passé ? Julien, le pervers, qui m'avait presque violée à la sortie d'un bal de campagne. Il m'avait troussée sur l'herbe, et pour la première fois, une langue brûlante avait léché ma chatte affolée.

Vincent, le photographe de charme qui voulait faire de moi une star, et qui m'avait seulement conduite à son lit ? Vincent avait écartelé mon corps et son sexe m'avait fendue en m'arrachant des gémissements de démente.

Pierre, l'étalon, qui m'avait rendue folle tout un été à Saint-Tropez. Celui-là avait réussi à faire de moi une véritable chienne, en me donnant un plaisir insensé avec son sexe monstrueux, congestionné, au gland protubérant comme la tête d'un reptile. Ou encore Yves, marié et père de famille qui m'avait enseigné quelques perversions alors inconnues de moi... Il m'avait forcée à branler des routiers sur un parking d'autoroute, et les solides gaillards avaient déversé le trop-plein de leurs virilités sur l'imperméable bleu qui porte encore les traînées blanchâtres de leur extase.

C'était inutile de remonter si loin : tous ces hommes ne pouvaient connaître ni la robe rouge, ni l'hippocampe en or. Non, j'avais sûrement affaire à un maniaque, un obsédé sexuel qui me guettait depuis de longues semaines, qui m'avait espionnée...

Je me tournai vers la fenêtre. Devant moi, les

tours du front de Seine semblaient m'observer. Peut-être était-il là, tapi derrière une vitre, une paire de jumelles à la main. Peut-être me regardait-il... Une vision passa dans mon subconscient : un homme mûr, appuyé contre un mur en train de se masturber lentement, en décalottant son gland aussi loin qu'il le pouvait, tout en me regardant. Un frisson d'excitation descendit le long de ma colonne vertébrale... C'était là un fantasme que je connaissais bien : j'imaginais cette scène quelquefois lorsque Renaud me faisait l'amour et que j'avais des difficultés à jouir.

Nous étions jeudi et il était déjà quinze heures. Je sortis de mon appartement, appelai l'ascenseur, puis me ravisai. Le cœur battant, je courus jusqu'à la chambre, enlevai ma robe noire et enfilai la rouge. Puis je la retroussai, et en me contemplant dans le miroir du dressing – mon ventre hâlé et luisant, mon pubis épilé, l'encoche rose et vive de ma chatte –, j'attachai autour de mes hanches la chaîne et le petit hippocampe d'or. J'appelai Renaud à son bureau. Il fallait que je lui parle, qu'il vienne à mon secours. Sa secrétaire m'informa qu'il était en réunion à l'extérieur. J'avais complètement oublié : c'était le jour où il voyait Barbara, sa maîtresse attitrée, une ancienne danseuse au corps sculptural dont la beauté m'insupportait. Renaud me contait par le détail comment elle lui léchait les couilles par-derrière, devant un miroir pour qu'il puisse la voir accroupie sur le sol. Je reposai le téléphone avec la sensation amère d'être abandonnée. Tant pis pour lui.

Ce ne fut que dans le parking, au volant de mon petit cabriolet, que je pris conscience de ce que je venais de faire. Je venais de céder au désir de cet inconnu. Les vieux démons qui sommeillaient en moi avaient été libérés par cette lettre infâme. La curiosité me tenaillait et déjà un autre désir prenait le dessus. L'attrait de l'interdit. L'orgueil de relever un défi inacceptable pour toutes les autres. Au moment où je démarrai, un homme sortit de l'ombre et s'avança vers moi. Je le vis s'approcher, silhouette noire luisante – il devait porter un blouson de cuir et un jean assorti – qui libéra d'insoutenables images de viol. L'homme allait sortir un couteau, m'en menacer, peut-être le poser sur ma gorge. Me forcer à baisser la fermeture de son pantalon, en sortir sa bite, la caresser, la prendre dans ma bouche malgré mes supplications. Il me forcerait à aller jusqu'au bout, à attendre que ma gorge soit remplie du lait gluant de son plaisir.

L'homme s'approcha de la voiture voisine et y monta en m'adressant un sourire plutôt charmant. Mes cuisses étaient moites. Que pouvait me vouloir Othello ? D'abord, pourquoi Othello ? Le drame de la jalousie ? Othello était jaloux, maladivement jaloux. Il m'avait suivie chez mon amant. Il avait réussi à surprendre mes élans intimes avec Yannick.

Mon amant avait l'habitude de m'attacher et de me bander les yeux, avant de me faire l'amour. Il me sodomisait lentement, en plaquant son pubis contre mes fesses, le sexe planté au fond de mes reins jusqu'à la garde, sans bouger. Othello nous avait surpris, il en avait été malade, il voulait se venger en me faisant chanter. Mais, dans cette lettre maudite que j'avais froissée et que je relus au premier feu rouge, il n'y avait aucune allusion à un quelconque chantage.

Il m'aimait. Peut-être était-il rendu fou par une authentique passion ? Était-ce pour lui le seul moyen de m'aborder ? Il allait partir en voyage, loin, pour toujours. Il n'avait pas le temps. Il me voulait.

Le cœur battant, je m'arrêtai devant un salon de thé, commandai un café, courus au sous-sol. Dans la cabine téléphonique, je compulsai hâtivement l'annuaire. Hôtel du Cygne Noir. Une petite rue proche de Montparnasse. Je pris mon courage à deux mains et composai le numéro. Une méchante voix éraillée me répondit :

« Hôtel du Cygne Noir, j'écoute.

– Excusez-moi, pouvez-vous me passer la chambre 9 ? »

Il y eut un silence et la voix se fit à nouveau entendre.

« Il n'y a personne. La clef est au tableau. Le monsieur n'est pas encore rentré. »

Je bredouillai quelques mots inaudibles et raccrochai après avoir remercié pour ce renseignement inutile.

La petite rue était bordée de commerçants et l'hôtel ne payait pas de mine. Je passai devant en roulant lentement. La porte était entrouverte comme pour m'inciter à entrer. Je me garai une rue plus loin et revins sur mes pas. Une nervosité indescriptible me submergeait à présent. Je devais aller à ce rendez-vous, et en même temps ce désir me dégoûtait au plus profond de moi. Je voulais que cet homme me prenne, me baise, comme il en avait envie, comme je le voulais maintenant autant que lui, et en même temps, l'excitation qui faisait mouiller mon ventre me terrifiait littéralement. S'il s'agissait d'un maniaque, il pourrait me tuer sans que personne ne vienne à mon secours. Il exigera que je prenne des poses humiliantes, que je lui offre mes fesses écartées, mes cuisses ouvertes, que je lui tende mes seins, que je tire la langue comme pour sucer une virilité imaginaire. Il me fera agenouiller sur la moquette douteuse, les yeux fermés, la bouche ouverte en signe de totale soumission. Il voudra faire de moi son esclave, me fouettera. Je crierai. Il me prendra et, aussitôt après, il se montrera violent, s'il est un criminel...

J'entre dans le hall de l'hôtel sombre et désert. Un comptoir poussiéreux, une moquette élimée, un abat-jour jauni. Une odeur indéfinissable de tabac et de parfum bon marché flotte dans la chaleur lourde. Au-dessus de ma tête, j'entends des rires, puis des petits cris. Je patiente, affolée, deux, trois minutes et je me hasarde. Il est un peu plus de 15 heures 30. Je monte l'escalier qui grince sous mes pas. J'arrive sur le palier étroit. La porte de la chambre 9 est au bout du couloir. Je peux encore faire demi-tour, repartir, m'enfuir. Mais je m'approche, incapable de résister. Je tends l'oreille. Le silence est seulement troublé par les gémissements qui s'échappent de la chambre 7 et le bruit lointain des voitures qui passent dans la rue. Mon cœur bat si fort que je le comprime pour en atténuer les pulsations. Je veux me donner à cet homme, pour le surprendre, pour le prendre à son propre piège. J'hésite, puis je finis par frapper à la porte. Je me rejette en arrière. S'il ouvre, je m'enfuis, je dévale les escaliers, s'il tente de me rattraper, je crie au secours.

Personne ne répond. Je redescends dans le hall. La clef est suspendue sous le numéro 9. Je vais entrer dans la chambre, je me déshabillerai entièrement, m'allongerai sur le lit et prendrai une pose indécente quand il ouvrira. Je soulèverai les hanches pour qu'il puisse bien voir toute mon intimité offerte.

« Bonjour, lui dirai-je alors. Je suis Virginie. Prenez-moi. »

Au moment où je vais prendre la clef, la porte de l'hôtel s'ouvre dans mon dos. Instinctivement, je me plaque contre le mur, derrière une tenture, je m'arrête de respirer. Une main se tend vers la clef de la chambre 9. Une main de femme, élégante. Je suis surprise, me retourne et découvre la femme dans le miroir. À ma plus profonde stupéfaction, je reconnais Adeline, ma voisine de palier. Ma meilleure amie. Je ne comprends plus. Elle monte l'escalier, un peu inquiète, assez lentement. Moi, je ressors de l'hôtel et me hâte de retourner vers ma voiture. Puis, brusquement, je m'arrête, fouille dans ma poche, en sors l'enveloppe toute froissée que je n'ai pas lue. Elle est adressée à Adeline Rastier.

Une simple erreur de boîte à lettres. Adeline

a une robe rouge, et elle a acheté avec moi le même hippocampe en or. Le souffle coupé. poussée par une force incontrôlable, je retourne à l'hôtel, passe devant la réception déserte où un téléphone bourdonne inlassablement et monte jusqu'à la chambre 9.

La porte est restée entrouverte. Adeline est agenouillée sur la moquette, devant un homme nu dont je ne vois que le dos dans la pénombre. Sa tête va et vient entre ses cuisses et ses yeux implorants se lèvent vers lui. L'homme se recule légèrement et se masturbe suavement sur le visage de ma si belle amie. Soudain il se raidit, serre sa queue, l'approche du délicat visage qu'il arrose de sperme, grosses gouttes épaisses qui souillent les cheveux, les paupières, le nez, le menton.

« C'est bien, lui dit alors la voix de Renaud, mon mari. Tu es une bonne salope. »

Régine DEFORGES

LA CABANE DU JARDIN DU LUXEMBOURG

Allongée à sa place habituelle, sur la grille du métro, la femme buvait du vin rosé au goulot de la bouteille. Elle la reposa près d'elle avec une grimace tout en jetant une invective à un jeune homme élégant à l'allure de cadre dynamique qui sursauta et descendit précipitamment du trottoir où le 63 manqua de peu de le renverser. Cela provoqua l'hilarité de la femme qui se redressa en se tapant sur les cuisses. De l'autre côté de la rue, derrière la vitre du bistrot, il devinait sur ses lèvres le mot : « Dommage ! » Le cadre prit à témoin les passants en montrant l'ivrogne qui riait comme une gamine en se rejetant en arrière, découvrant une denture clairsemée.

« Si ce n'est pas une honte ! »

Les passants, haussant les épaules, continuaient leur chemin. Les voitures, arrêtées au feu rouge, lui cachaient en partie la scène. Il se leva pour mieux voir.

La femme rebut un coup et alluma une cigarette. Un gamin, courant, buta sur ses jambes allongées.

« Fous l'camp ! petit merdeux ! »

Le garçon s'immobilisa et la regarda attentivement.

« Tu veux ma photo, p'tit con ?

– Tu t'es pas regardée, vieille pute », dit-il en esquivant la bouteille qui se fracassa sur la chaussée éclaboussant un couple de touristes allemands qui battit en retraite sous les insultes.

Toujours bougonnant, la femme se rallongea, la tête appuyée sur son bras replié.

« Été comme hiver, elle est là. Depuis dix ans que je travaille ici, je l'ai toujours vue. Elle fait partie du décor. Quand il fait trop froid, le patron lui fait porter du café ou du bouillon. Jamais un merci, elle vous dirait plutôt merde. En dix ans, elle n'a pas changé, faut croire que la vie sur le bitume, ça conserve. De temps en temps, les poulets l'embarquent, le temps d'un épouillage. Deux jours après, elle est là, fidèle au poste. Ça doit être sa méchanceté qui la conserve, les autres cloches ont peur d'elle. Ils tentent de l'amadouer avec les mignonnettes d'alcool qu'ils volent au supermarché d'à côté. Ça marche le temps de vider la bouteille », dit le garçon qui avait remarqué son intérêt pour la femme.

Drôle de client. Depuis une semaine, il se mettait tous les jours à la même place, commandait un demi, puis deux, puis trois, qu'il buvait sans quitter des yeux le trottoir d'en face. C'était un jeune et beau mec, pas du tout le genre de vicieux qui s'intéressent aux vieux déchets. Pas un étranger non plus. Un homme normal, quoi !

Pour se débarrasser du serveur, il commanda un autre demi que l'autre apporta très vite. Sans doute aurait-il repris la conversation si, de l'autre côté du comptoir, le patron ne l'avait appelé.

« Maurice, on te demande en cuisine. »

Maurice parti, il replongea dans sa contemplation. Toujours allongée, elle avait replié ses jambes. Comme chaque fois, son sexe gonfla. À travers la poche de son pantalon de lin, il se caressa. Sous sa jupe misérable et sale, la femme cachait un sexe glabre et rebondi, fendu d'une mince ligne rouge. Ce sexe l'obsédait depuis ce jour de la semaine dernière où, attendant le feu vert, il avait eu tout le loisir de le contempler. Jamais aucun sexe de femme ne lui avait fait un tel effet. Il suffisait que le souvenir lui en revienne à n'importe quel moment de la journée, en n'importe quel lieu, pour qu'aussitôt il se mette à bander. Il aurait donné une fortune pour pouvoir le lécher, l'entrouvrir doucement. Elle devait avoir un clitoris rond et cramoisi qui devait enfler sous les caresses. Son sexe dur lui semblait sur le point d'exploser. Là-bas, de l'autre côté de la rue, elle se leva en s'appuyant contre la vitrine.

Il jeta une poignée de pièces sur le marbre du guéridon et se précipita derrière la femme. Elle traversa, royale, le boulevard Saint-Germain dans un concert d'avertisseurs et de freins. Indifférente, elle remonta de son pas traînant la rue de l'Odéon. Elle s'arrêta sous une porte cochère où elle pissa, debout. Après s'être ébrouée, elle reprit sa marche. Devant le théâtre, elle sembla hésiter, puis prit à gauche du bâtiment et entra au café-tabac de l'angle de la rue de Vaugirard. Elle acheta un paquet de cigarettes et commanda un petit blanc. Il entra à sa suite.

Quand elle tira une cigarette du paquet, il lui tendit du feu. Elle le regarda, l'air mauvais, avant d'allumer sa cigarette.

« Un demi », demanda-t-il, en se détournant.

Surtout, ne pas l'effaroucher.

« Tu m'payes un coup ? demanda-t-elle.

– Que prenez-vous ?

– La même chose.

– Il me semble que j'tai vu quelque part ?... C'est pas toi qui me mates de l'autre côté de la rue ?... Tu m'trouves pt'être jolie, à ton goût ? fit-elle en éclatant d'un rire obscène. T'sais qu'tu s'rais pas l'premier ?... Les hommes, c'est fou c'que c'est cochon ! T'as vu ma chatte, pas vrai ?... Ça t'fait triquer, la chatte d'une vieille cloche comme moi ?... Tiens, qu'est-ce que j'disais !... M'sieurs-dames !... r'gardez l'beau gars qui bande pour moi !...

– Hé, la vieille, arrête d'embêter le client. Finis ton verre et fous le camp. Il faudrait les gazer, tous ces animaux-là. »

Sans réfléchir, il envoya son poing par-dessus le comptoir. Le coup atteignit le nez du patron qui se mit à glapir comme un porc en se tenant le visage ; entre ses doigts, le sang coulait.

« Paye et foutons le camp ! J'le connais, il va appeler les flics. »

Ils sortirent sous les insultes de la taulière.

« Salauds !... Bandits !... Assassins !... »

Ils entrèrent essoufflés dans le jardin du Luxembourg et se laissèrent tomber sur les chaises près de la fontaine Médicis.

« Eh bien, petit, tu lui as foutu un sacré coup. Il va avoir le pif comme une tomate pendant des s'maines. Pourquoi t'as fait ça ?

– J'ai pas aimé la manière dont il vous a parlé.

– Faut pas t'en faire pour ça, j'ai l'habitude. T'as du feu ? demanda-t-elle en sortant son paquet de cigarettes. »

Pendant un moment, ils fumèrent en silence.

« Dis, j'me suis pas trompée, c'est bien ma chatte qu'tu reluques tous les jours ?

– Oui.

– Elle t'plaît ?

– Plus que ça.

– Ça t'dirait de la voir tranquillement ?

– Oui, fit-il dans un souffle, en serrant les poings.

– Alors viens. »

Ils traversèrent tout le jardin. Derrière un massif de troènes en fleurs, il y avait des cabinets et une cabane dans laquelle les jardiniers rangeaient leurs outils. La porte était fermée par un épais cadenas. De la poche de sa jupe, la femme sortit une clef qui entra parfaitement dans la serrure.

« Le jardinier, en échange de quelques gâteries, me laisse dormir là de temps en temps. Allez, entre. »

La lumière passait à travers les planches disjointes. Sur le sol de terre battue, des sacs de jute faisaient une litière sur laquelle la femme s'allongea. Aussitôt, elle releva sa jupe et écarta ses cuisses. Son sexe apparut blanc, dodu. Le réduit en fut comme éclairé. Il se laissa tomber à genoux. Avec des gestes tendres et lents, elle ouvrit les lèvres de son sexe ; c'était humide et rouge.

« Tu veux le lécher ? demanda-t-elle doucement.

– Oui », dit-il d'une voix rauque.

Sa langue glissa dans la fente onctueuse et remonta vers le clitoris dressé comme une petite bite. La femme gémit et ses cuisses tressaillirent et s'entrouvrirent davantage. Il ouvrit sa braguette et sortit son sexe congestionné et se branla doucement tandis que sa langue s'enfonçait dans la chatte largement offerte. La femme jouit en lui envoyant de petits jets de foutre qu'il avala avec volupté. Il n'allait pas pouvoir tenir longtemps. Le visage barbouillé, il se redressa et pointa sa queue dans le trou béant et jouit à longs traits. La femme jouit à nouveau en poussant de petits cris.

Sans se presser, il se rajusta. La femme semblait dormir, les membres épars, son sexe de petite fille luisait de sperme. Dans la pénombre, elle était belle comme une jeune épousée.

Sans bruit, il referma la porte de la cabane.

Agnès VERLET

PAUVRES PÊCHEURS

Je retrouvai Isabelle à l'aéroport de Marignane. Elle avait l'air préoccupé, mystérieux, presque inquiet, et je ne lui posai pas de questions sur son arrivée inattendue. Elle me dit qu'elle devait aller à la Criée aux poissons. L'odeur du poisson, s'exhalant des images d'un rêve, avait réveillé en elle une vie aquatique essentielle, ressuscité une époque antérieure où son corps avait été une sorte d'anguille, une grenouille peut-être, avant de devenir une sirène.

Elle but un café et, à ma grande surprise, commanda un vin blanc sec, en précisant qu'elle voulait que ce fût un blanc de Mâcon. Je ne sais si le garçon souscrivit à cette subtilité œnologique, mais il apporta un ballon de blanc, et le posa devant Isabelle en la dévisageant : « Tenez, voilà, Mâcon. » Isabelle le but d'un trait en appuyant son regard sur le garçon, décroisa les jambes, respira profondément et, quand le garçon fut parti, elle me raconta son rêve. Elle se trouvait dans une chambre d'hôtel (ou d'hôpital), un univers clos, une pièce sans contact avec l'extérieur, où elle était seule, étendue sur le lit. Du sol sortaient des poissons, de gros poissons de mer qui surgissaient subtilement du plancher, tantôt la tête, tantôt la queue, argentés, brillants, mouillés. Ils apparaissaient, en partie seulement, rampaient, s'agitaient, frétillaient, et elle avait la sensation étrange d'un grouillement de vie sous son corps, d'une effervescence aquatique, qu'elle voyait et sentait, mais à laquelle elle ne pouvait participer, puisqu'elle était allongée, sans pouvoir bouger. Le lit était en cuivre, et les pieds en étaient trop élevés pour qu'elle pût, même en tendant les bras, ne fût-ce que toucher un de ces poissons qui l'attiraient, et au moment où elle ressentit si impérieusement le désir de toucher, elle s'aperçut qu'elle était attachée, que ses deux mains étaient liées ensemble aux barreaux de fer : « Le fait d'être entravée exaspérait mon désir : mon corps nu s'arc-boutait, mes fesses se frottaient désespérément aux draps, mes cuisses ouvertes appelaient. Au-dessous, les poissons continuaient leur danse comme s'ils m'eussent interpellée ou séduite. Des sirènes, j'entendais le chant des sirènes, et les liens de mes bras m'empêchaient d'atteindre cette vie marine qui me fascinait. Étais-je moi-même une sirène qui, pour le devenir, eût sacrifié ses bras, et non ses jambes ? Mes jambes à moi étaient bien vivantes, et mon corps n'était qu'un sexe avide qu'excitait la danse des poissons. »

Isabelle laissa de l'argent sur la table du café. L'agitation de la Criée était intense à cette heure de la matinée, et j'étais étourdie par une telle exubérance, un peu enivrée par la mer et le bruit. Isabelle semblait décidée, affairée. Elle parcourait les étalages des poissonniers, insensible aux apostrophes des marchands, et poursuivait son chemin dans les allées, en ayant l'air de chercher quelque chose. Sa robe blanche était légèrement transparente dans la lumière, ses sandales dorées, chargées d'eau, traînaient une algue, et notre couple de touristes attirait les regards. Isabelle cherchait toujours, sans rien me dire de son projet. Elle regardait moins les poissons que les poissonniers, ou plutôt, son regard passait des étalages aux marchands, des marchands aux étalages, et il devenait évident, à sa façon de dévisager les hommes qui commençaient à la considérer avec curiosité, qu'elle n'était pas une simple ménagère en quête d'une soupe de poisson. Brusquement, elle m'attrapa le bras : « Viens, Marie-Ange, je n'aime pas cette Criée moderne. On ne voit pas la mer, rien ne se crie, rien ne se sent, c'est glacial. » De fait, malgré la chaleur, je m'aperçus qu'elle tremblait. « J'ai froid, me dit-elle. Allons au Vieux-Port. »

Là, sur le trottoir, devant le carré miroitant de l'eau, entre les marchands de chapeaux, de ballons et de chichis, les pêcheurs débarquaient leurs poissons que des femmes vendaient sur des étalages de bois bleu. Isabelle paraissait épuisée. Elle alla directement à une barque blanche et verte qui venait d'arriver, interpella les pêcheurs, sortit des billets, en coupures de cinq cents francs. La barque était pleine de sardines argentées encore vivantes qui faisaient des bonds. Quelques dorades, une caisse de poissons roses, un peu effrayants, dont on me dit que c'étaient des rascasses, et de longs reptiles enroulés comme des anguilles, ceux-là qui avaient l'air de fasciner Isabelle. Je ne sais ce que mon amie était convenue avec les pêcheurs, mais ils nous aidèrent à monter dans la barque, et nous firent asseoir entre les caisses de poissons, malgré les vociférations de leurs femmes restées à quai, qui ne comprenaient pas qu'ils n'eussent pas déchargé la marchandise. La promenade en mer, par elle-même, avait l'air de n'étonner personne, et les pêcheurs se réjouissaient à l'idée d'une partie de pêche avec des Parisiennes. Isabelle retira ses sandales, attrapa une sardine encore vivante, et la mit entre ses doigts de pied. Elle était concentrée, les narines frémissantes, les lèvres entrouvertes. Elle plongea la main dans la caisse de poissons, et tout en regardant intensément les forts Saint-Jean et Saint-Nicolas qui s'éloignaient, elle caressait les sardines, s'y enfonçait les bras jusqu'au coude, plongeant et replongeant voluptueusement la main dans les poissons luisants. Sa main gauche était appuyée sur le banc, son cou raide : le visage tendu, elle était immobile, le regard fixe, semblait aux aguets. En passant au large de Saint-Jean, je m'aperçus qu'elle n'avait pas de culotte. André, le pêcheur qui tenait la barre du petit bateau vert, jetait des regards dans la direction d'Isabelle, penchée, jambes écartées, attentive à ses pieds qu'elle chatouillait avec des sardines frétillantes. Philippe s'était approché de moi parce qu'à peine sortie du vieux port, je commençais à avoir le mal de mer. Il en profita pour mettre un bras autour de mon cou et me tripota les seins. « C'est un pointu, dit-il. – Quoi ? – La barcasse, pardi. Un pointu marseillais, et un bon, dit-il en éclatant de rire. Ça y va ! » En effet, la barque se mit à rouler sur les vagues, et Philippe me tenait par la taille, passant sa main sous mon tee-shirt. Il prit ma main droite, la posa sur sa braguette et me cria à l'oreille, à cause du vent : « Ça aussi, c'est un pointu, la meilleure braguette du Vieux-Port ! »

Soudain, Isabelle poussa un cri : « Regarde, Marie-Ange. » Elle releva sa jupe jusqu'à la taille, se posa le derrière sur les sardines, sous l'œil ébahi des pêcheurs. « Ça alors ! Bonne Mère ! » Isabelle avait des poissons entre les cuisses, il en sautait autour de ses fesses, un rouget frétillait dans sa fente. Elle enleva sa robe. André avait l'air inquiet : « Couchez-vous, mademoiselle, on peut vous voir. » Isabelle émergea avec difficulté de la caisse de sardines, en déversa tout le contenu sur le fond de la barque et s'allongea dessus, se caressant les seins, le ventre, les cuisses avec les sardines encore vivantes. « Encore, Marie-Ange, d'autres poissons, des loups, des rougets, des dorades, des lisses et des doux, et surtout des anguilles, des congres, des maquereaux, de la poissonnaille : c'est la pêche miraculeuse. »

J'avais de plus en plus mal au cœur et l'exhalaison des poissons écrasés me suffoquait. Nous avions dépassé le château d'If, puis le Frioul et Pommègues, et le bateau tanguait en pleine mer. Pliée en deux, je titubai vers les autres caisses de poissons que je renversai sur Isabelle éperdue de jouissance. Accroupie près d'elle, j'étais secouée de spasmes violents et je vomis. Philippe me rejoignit, vacillant comme un homme ivre. À quatre pattes, me tenant le ventre, il me pelotait de ses doigts rugueux. Je rampai jusqu'au bastingage et gerbai par-dessus bord, agrippée au garde-fou. Philippe, derrière moi, une main sous ma jupe, plongea dans ma culotte, écartant mes cuisses. Je me laissai emporter par le mouvement, accrochée au rebord de la barque, tandis qu'il me prenait, secouait, chavirait, debout, dressé face au ciel, le pantalon ouvert, à peine abaissé, le torse brun et poilu, triomphant. Le soleil était puissant et le bleu du ciel d'une violence insoutenable. L'homme secouait la barque, bouleversait mon corps, troublait l'eau, au plus profond.

André avait jeté l'ancre et rejoint Isabelle qui se faisait jouir au milieu des poissons. Tout en pestant contre cette saloperie de poiscaille, il s'était couché sur mon amie et la baisait. Je voyais la queue s'insinuer, aller, venir, brillante, mouillée. Je dis à Isabelle : « l'anguille de mer », et lui agaçai l'oreille avec une petite sardine dégoulinante. Isabelle, dans l'expression mouvementée de la jouissance, écrasait de sa tête les poissons sanguinolents qui faisaient jaillir de leurs entrailles une puanteur affolante. Elle avait les oreilles pleines de sang et de viscosité. André se releva : « Putain, que ça pue », et il alla pisser par-dessus bord. Isabelle me demanda de lui lécher les oreilles, et le cou, et aussi la chatte, poisson-chat. L'âcre senteur de poisson et de tripes me levait le cœur. L'eau, au fond de la barque, rougie, épaissie, dégageait une odeur saumâtre, mêlée d'urine et de pourriture. Pliée en deux, je me précipitai jusqu'au bord pour vomir. La bile me revenait en pleine figure et me collait les cheveux. J'étais tellement secouée de spasmes que je ne savais plus où était ma jouissance. Philippe s'était assis sur le banc et se branlait en me regardant. Il me prit dans ses bras, explora hâtivement mon corps et ses ouvertures marines. Je l'entourai de mes jambes, à califourchon sur ses cuisses, et tandis qu'il écartait mon sexe ouvert, en un tour de rein, je m'assis sur son vit dressé qui me transperça, résonnant dans ma profondeur jusqu'au cri. Le bateau tanguait, et cet homme qui me chavirait, soulevant mon corps et mes fesses, s'enfonçant dans mon ventre, de la poupe à la proue, et moi, hurlante et ruisselante, dansant sur lui et le voyageant, moi aussi, langue salée, cheveux collés, déferlant dans des rafales de plaisir sans fin.

Muriel CERF

LA JALOUSIE

Le seul moment où elle me donnait le temps de penser, c'était quand elle avait ma bite dans la bouche, la petite caverne rose-rouge de sa bouche que j'avais tant aimée et que j'aimais encore, maintenant même où cet amour était aux trois quarts fait de la matière massive de la jalousie, au point où il devenait un sentiment troublant, malaisé, qu'à chacune des fellations magistrales où elle me laissait le temps de penser, je me sentais plus proche de la haine.

À chacune desdites, je la guignais sous mes cils, et avec un détachement de moine tantrique que j'espérais pouvoir garder les quarante-cinq minutes que son talent languier méritait franchement, j'observais point par point ce que cette bayadère faisait de mon sexe : elle l'encoquillait de ses doigts révérencieux, comme si c'était le sceptre d'un empereur byzantin, considérait avec une autorité dévote cette chose qui, incroyablement, lui appartenait, lui témoignait de l'affection en donnant à son extrémité un baiser de mésange, la parcourait de la pulpe accolée de ses lèvres sur toute sa longueur, et c'était, sur ma verge, comme la tombée légère d'un voile ensorcelé qui la recouvrait et durcissait jusqu'à l'une de ces érections priapiques et quasi douloureuses que j'avais avec elle – et c'était alors que je ne pouvais m'interdire quelque chose de bien plus douloureux encore : combien d'autres, comme ça, hein, à merci, hein, et elle, damnée dresseuse de chair, cillant à peine, que le bruit du canon n'aurait pas dérangée. Puis, avec une tendresse maternelle, elle appuyait ses doigts à la base de moi-même comme on touche le front d'un enfant qui a la fièvre, puis j'avais l'impression que, d'une bouche douce et flottante comme une anémone de mer, elle me sortait tout entier de la vague où je me noyais, puis elle ciselait d'une langue pointue le contour de l'anneau préputial et aspirait toute ma roideur exaspérée, puis, langue appliquée et butinante et pleine d'un sérieux enjoué, elle m'aspirait dans la crampe profonde d'un vertige de velours – à ce moment précis, j'étais entièrement captif de la bague lisse et serrée de sa bouche et de la cadence qu'elle jugeait bon de lui imprimer, de l'andante à l'allegro le plus farouche et à l'irrémédiable finale. Bon, c'était la meilleure tailleuse de pipes du monde et je ne le lui pardonnais pas.

Le réveil indiquait 22 heures 30 quand, le soir dont je vous parle, je décidais qu'elle avalât son digestif : une bonne lampée de sperme coalescent, et ses sels minéraux, sulfates, phosphates, carbonates et spectres d'enfants morts, de quoi empeser les voiles d'un brick, et je souhaitais que, pour la première fois, elle trouvât ça épouvantable, et aussi qu'elle eût très mal aux zygomatiques sans avoir ri tant que ça, qu'elle se cassât le dos au milieu de sa prestation, que, s'en prenant dans les gencives, elle les eût brûlées jusqu'à consumation, qu'une arthrite de la dent fît tomber celle-ci d'un instant à l'autre, qu'elle s'empoisonnât comme avec le venin du crotale diamantin, bref, qu'elle ne puisse plus le faire à personne avec ce talent-là – et il serait 23 heures et 15 minutes, pas une de moins, quand j'étoufferais dans sa bouche l'éjaculation d'un monstre neptunien, peut-être la dernière qu'elle savourerait et avalerait de son preste mouvement de glotte (une chatte acharnée à la dévoration d'un moineau assassiné) – la dernière, parce qu'elle me serait infidèle, que je la chasserais, parce que, quant à ces événements plus synchrones que successifs, le plus tôt serait le mieux, il était inutile que je continue d'attendre qu'elle veuille bien donner à d'autres ce à quoi ces autres l'avaient si fastueusement initiée.

Ce soir-là, je pris garde de ne pas lui flatter la nuque, ni tenir la tête, ni accélérer en rien les mouvements de la symphonie languière – cette fellation au terme de laquelle, dans les quarante-cinq minutes susdites, punie du péché d'adultère dont je n'avais aucune preuve formelle, trop de preuves indiciales et qui n'était commis que par anticipation, c'eût été justice qu'elle s'étouffât et trépassât dans un hoquet étranglé.

C'était le meilleur coup de l'enfer, elle était belle comme un ange et d'insigne intelligence, je l'avais épousée PARCE QU'elle était le meilleur coup de l'enfer, or je ne supportais plus que ça se vît sur elle, cet éclat de diamant noir qui lui ruisselait de la nuque aux talons, *va plus doucement mon amour,* pas plus que je ne supportais toute cette beauté dont le propre est d'être vue si vite qu'elle peut aveugler, ni cette intelligence qui se voyait également sur elle pourvu qu'on l'observât d'un peu plus près, tout de même, que ne l'exigeait sa grâce florentine, cette intelligence qui pouvait aussi vous prendre au dépourvu, qu'on décelait au poinçon vif de son regard doré et à chaque frisson qui animait son visage et le riderait plus tard, quand je ne serais plus là, *quand on me l'aurait prise.* De l'intelligence, elle en avait aussi jusqu'à la pointe de cette langue dont, à 22 heures 39 le soir dit, il est question, si manigancière et dialecticienne et diplomate – et ma femme se reculait pour regarder ce qui était son domaine, ses quelques hectares de merveilleux, ce visage et ce corps d'homme qu'elle révérait (et qu'elle le lui prouvât avec une telle science restait cela même qui condamnait la malheureuse), elle levait sur moi ses beaux yeux bridés pour me demander si j'étais content d'elle, et c'était là, bel et bien, une question de pute, et cette femme était mienne et aussi sublime que l'épouse du *Cantique des Cantiques,* et cette femme m'aimait, grâce à laquelle, devant un maire pansu, j'avais introduit dans la structure fliquée qui ternit et domestique l'amour le plus fou, une passion qui semblait sans remède : Tristan avait épousé son Iseut qu'il faisait jouir légalement trois ou quatre fois par vingt-quatre heures et Iseut, baisée à fond, renouait ses tresses d'or juste après, allait se rincer, poncer, lire un magazine, avec une pondération souriante qui me sciait les genoux, et la magicienne aux yeux de soufre, tout à l'heure m'entraînant dans ces abîmes d'inconnu où elles vont quand elles jouissent, cette même magicienne irait, avec le geste calme d'une figure de Vermeer, veiller à l'alchimie d'une vinaigrette, griller de la viande de façon à ce qu'elle soit exactement à mon goût, le sang perlant à peine sous la chair caramélisée, ceci avec la même conviction judicieuse qu'elle mettait pour son malheur à me tailler une pipe, là, tout de suite : ainsi, rideaux tirés, elle s'évertuait, avec une évidente méchanceté, à me priver du rassurement qu'elle fût quotidienne, rustique et profane, qu'elle fût à un jaloux la médecine douce qu'apportent les migraines, les règles et les rapports accablants qu'elles en font, à refuser ce baume aux tempes du jaloux : la fadeur nécessaire d'une femme mariée.

Il était 22 heures 51 quand une petite langue résolument experte et épicée se haussait et glissait et râpait et faisait de la luge, et ma femme prenait mon sexe jusqu'au fond de la gorge, la chienne, cherchant le heurt du boutoir aveugle à croire qu'elle désirait qu'il lui explosât les amygdales, alors combien d'autres, pour qu'elle eût cette fureur de bacchante et ce toucher de pianiste, oh, je la haïssais quand d'autres un petit peu moins *cérébraux* auraient béni non le ciel, mais l'enfer, de m'avoir octroyé cette sorcière que je voulais brûler pour ses pouvoirs et qu'elle ne les exerçât plus sur aucun. Ça montait, venait, emperlait, ah, et si elle m'émasculait d'un coup de dents, plus de soucis, bon, ce n'était peut-être pas pour aujourd'hui, saisissant et secourant son petit poignet osseux, je capitulais à l'heure dite dans la caverne rose-rouge et ma femme rencogna sa tête dans le creux de mon épaule et, comme toujours à ce moment, je crus entrer dans la maison de mon enfance – un palais dont la reine aurait été cette mariée trop belle qui n'avait pas dix-huit ans.

À l'heure qu'il est, ma femme, exquise et rose sexagénaire, ignore les quinze mille trois cent quarante nuits d'insomnie où me poursuivit l'épouvantable remords de, lui infligeant le supplice des traîtres ou des parjures, l'avoir à tout jamais privée du goût et de la parole.

Lisa BRESNER

LA FEMME POURPRE

La Femme Pourpre habite de l'autre côté du pont. Une fois par an, elle change sa robe contre un manteau. Ce n'est pas qu'elle ait froid ce jour-là. Elle est nue et raccompagne son amant de l'autre côté du pont. Elle le traverse ce matin, évitant de marcher sur l'ombre à un mètre devant elle. Trois fois, la marchande d'œufs de cent ans l'a vu revenir de l'Hôpital du peuple.

« Aujourd'hui, raconte Nai Nai en cassant une coquille, elle n'est pas sortie, elle a crié, elle a crié devant elle, sur l'eau du port. Mais le monsieur, il est venu comme tous les ans. Elle a perdu ses parents en 1976, “ des pets-de-chien ”, disaient les gardes rouges ! N'empêche qu'ils ont tenu le bordel depuis 1949 et que moi je gagnais mon riz. Les patrons n'étaient jamais là, mais on n'a jamais eu d'ennui. Leur petite est née dans la chambre pourpre juste à côté d'ici, madame est venue spécialement dans son bordel pour accoucher. »

Nai Nai me donne la chair noire de l'œuf.

Elle s'assure que j'avale le tout et me montre du bout de la louche une maison en bois sans étage.

« Là, tu vois, devant l'hôpital. Il n'existait pas celui-là, le gouvernement ne voulait pas entendre parler d'avortement ou de contraception. En 60, l'Armée populaire devait envahir le monde ! Quand le maire a fermé le bordel en 76, y'a que la petite princesse qui est restée. Ses parents ont été déportés en Mongolie et leur avion s'est écrasé. »

La Femme Pourpre accroche des poissons morts sur les fenêtres en papier. Elle trace avec de la poussière d'encens le prénom d'un enfant qu'elle a perdu. Les employés de la banque sortent de la tour et s'empressent autour de moi pour m'échanger mes dollars. Les femmes se méfient de mes yeux, je suis métisse. Un gardien de vélos ouvre sa braguette et sort une liasse de mille *kuai.* Un employé de la mairie qui dresse des amendes aux couples qui font l'amour dans les jardins publics surenchérit. Un bonze empoche mes dollars, en tire un de sa ceinture et crache dessus. Il le colle en passant sur la fenêtre de la Femme Pourpre.

Nai Nai range les œufs invendus dans un bocal et va se coucher sous les échafaudages de bambou. Les enseignes des hôtels, les messages de bienvenue aux étrangers éclairent la maison sans étage. Le vieux Ye Ye ramasse un dernier mégot sur le pont, il a fini sa journée et enlève son bonnet blanc de travailleur municipal.

« Vous savez qu'elle a essayé de se noyer, l'autre jour ! Paraît que c'est à cause du suicide de la veuve. Eh ! t'es trop jeune pour avoir connu sa mère mais je te le jure sur mon nez, elles ont les mêmes boîtes à lait. Toujours est-il que le lendemain de la crevaison, elle est pas allée à l'hôpital comme d'habitude. C'était avec les marées qu'elle avait décidé de rouler une dernière fois sa niche à criquet. Pauvre môme, je suis sûr que c'est parce qu'elle voulait le garder. Elle s'est jetée. Toute nue elle a sauté par-dessus le pont. Moi, d'abord, j'ai vu le manteau par terre. Mais non, c'est pas le manteau du monsieur ! C'est le manteau de son père, le patron du bordel. Il est mort dedans, assassiné par un groupe de taoïstes intégristes. Ils lui ont même bouffé les cloches à riz. Enfin j'ai vu le manteau sans la fille et les boîtes à lait qui flottaient dix mètres en dessous. J'ai plongé. Elle respirait très fort et j'ai nagé en la tirant par tout ce qui dépassait jusqu'au bord. Elle m'a offert un petit carton rouge avec le nom d'un des enfants qu'elle a perdus écrit dessus. »

Ye Ye a sorti le carton de sa poche. J'y ai lu mon nom.

« Je lui ai demandé si elle ne préférait pas faire la grenouille qui attend la pluie. Elle a hurlé dans une autre langue et je suis parti. Moi, les phrases que je ne comprends pas, ça me rend superstitieux. »

Les phares d'un camion fixent l'entrée de l'hôpital. Des infirmiers chargent une urne sur la remorque. La Femme Pourpre les poursuit et lance des petits papiers rouges. Le chauffeur prend le volant et balaie sur son front un confetti. Les infirmiers referment le portail. Je cours après le camion en agitant mes dollars. Le chauffeur s'arrête.

« Qu'est-ce qu'il y a dans l'urne ?

– Des embryons calcinés.

– La Femme Pourpre ?

– Oui, c'est fini maintenant, ils lui ont percé les ovaires avec des aiguilles à tricoter. »

J'entends les haut-parleurs annoncer la mort du Président. Dans la rue, tout le monde allume la radio. Le Premier ministre se trompe comme en 1976 et, sous le coup de l'émotion, annonce mon décès.

Il me reste la nuit. Je frappe à la porte. Derrière les vingt centimètres de bois coulisse la barre de fer. La Femme Pourpre regarde mon manteau, glisse la main dans la poche.

Elle lit : « Rapport sur le cas de la Femme Pourpre.

« A eu un rapport avec le président T. le 07.07.77.

« A eu trois rapports sexuels avec l'ambassadeur N. le 07.07.78.

« A eu un rapport sexuel avec le sénateur W. le 07.07.79.

« Les liaisons suivantes jusqu'à ce jour n'ont aucune importance pour l'avenir du pays.

« À la mort de notre Président, l'un des trois enfants issus des trois premières liaisons lui succédera. »

Ma mère a rangé la feuille dans la poche de mon manteau et a sorti de son soutien-gorge une dizaine de billets verts.

« A avorté le 08.07.77. »

« A avorté le 08.07.78. »

« A avorté le 08.07.79. »

Elle a approché une bougie d'un cadre sur le mur.

« Le diplôme de la Reconnaissance a été décerné à Mlle Mao Tian Mei, dit la Femme Pourpre, par le ministère du Planning familial. »

Elle a enlevé mon manteau. Elle s'est déshabillée et a écarté ses cuisses. Elle a emmêlé mes cheveux aux poils de mon sexe.

Je demande qui est mon père. Ma mère raconte.

« Ils m'ont volé mes trois premiers Wawa. Bien sûr, ces canailles de spéculum ne pouvaient pas mélanger l'urine d'huître d'un président, d'un sénateur et d'un ambassadeur. Je m'en souviens de ces hommes, ils portaient le même manteau. Un garde du corps branchait un enregistrement du Discours des contradictions au sein du peuple. Dès que j'entendais sa voix, je fouillais sous le manteau et le sexe peint en jaune forçait un bouton. Tiens regarde le manteau, il y avait neuf boutons. Il n'en reste plus un seul ! A ya ! Un seul de ces hommes a réclamé les deux phénix femelles du fameux poirier de Shanghai. Eh ! oui, il n'avait pas traversé le Pacifique, juste pour enfiler un vieux pardessus militaire. On a fait sortir ma mère de prison. Une heure. Elle s'est allongée sur le lit. Je me suis assise sur elle, lui tournant le dos. Deux pleines lunes s'offraient à la comète. Ma mère s'est retournée, a montré du doigt la nouvelle lune. Je ne suis donc pas tombée enceinte ce jour-là et ta grand-mère s'est suicidée en retournant dans sa prison. »

Elle referme le manteau sans boutons sur nous.

« Quand j'étais petite, mon père était un grand guerrier, il dominait la Chine et voulait devenir immortel. Le soir, pour m'endormir, il m'enveloppait dans son manteau et me racontait l'histoire du Bouvier et de la Tisserande. »

Ma mère me berça dans le manteau et chanta :

La Tisserande s'abîme les doigts
L'étoffe est épaisse
La Tisserande se pique les doigts
L'aiguille est fine
La Tisserande coud le manteau de l'Empereur
Elle ne coud pas de bonnet pour le Bouvier
Le Bouvier est trop loin
Il reste si peu de temps
Le Bouvier est si charmant
Il reste tellement de fil
L'Empereur est heureux
Le manteau de la Tisserande est terminé
L'Empereur est généreux
Le Bouvier et la Tisserande peuvent se marier
Le manteau de la Tisserande est usé
La Tisserande n'a plus de main pour l'aiguille
La Tisserande n'a d'yeux que pour le Bouvier
L'Empereur est en colère
L'Empereur est tout-puissant
Le Bouvier est exilé à l'ouest de la voie lactée

La Tisserande est exilée à l'est de la voie lactée
L'Empereur dresse son manteau une fois l'an
Le septième jour du septième mois
Le Bouvier et la Tisserande sont réunis.

Vingt ans déjà unissent mon coude au bras de ma mère. La vieille Nai Nai tourne le dos à notre passage et jette dans le port la casserole d'œufs. Des camions, des tricycles à moteur crèvent l'armature du pont. Les péniches transportent de nouveaux drapeaux et mes portraits rajeunis. Ye Ye ne m'offre pas de cigarette. Il marche derrière nous, traîne son front dans la poussière, agite le carton rouge.

Avant de rejoindre son parasol, le militaire soulève les talons et exécute un quart de tour. Les yeux mi-clos de respect, il nous salue. Autre quart de tour, ses semelles embrassent les bosses d'asphalte et émettent un pet.

Jeanne de BERG

BELLE DE NUIT

Les choses changent vite à New York, c'est bien connu. Un Parisien m'avait recommandé *Belle de Nuit,* son spectacle, et m'en avait donné l'adresse précise. Mieux valait pourtant, pour plus de sûreté, vérifier, sur place, ses renseignements.

C'était dans un quartier sans grand intérêt, un immeuble ordinaire de la 18e rue. Et s'il n'y avait pas eu dans le hall, parmi toutes celles qui indiquaient des bureaux, la plaque, plus petite, « *Belle de Nuit, 10th floor* », j'aurais cru m'être trompée.

L'ascenseur débouche directement sur quelque chose qui ressemble, à ce que j'en peux deviner, à un appartement. Il faudrait plutôt dire déboucherait directement car, dès que s'efface la porte palière, je vois que l'entrée en est interdite par une forte grille de fer forgé aux volutes élégantes, de ce style très courant en Louisiane qui s'appelle « *spanish lace* ». La grille est bien cadenassée : on craint manifestement les visiteurs importuns (je me présente pourtant à une heure tout à fait raisonnable, au milieu de l'après-midi). Alertée sans doute par le bruit de la montée de l'ascenseur, une jeune femme est là, en attente, debout derrière la grille. Et le dialogue s'engage, elle derrière la grille, moi appuyant continûment sur un bouton pour maintenir ouverte la porte de l'ascenseur car, à aucun moment, elle ne fait mine de vouloir me laisser pénétrer. Une autre jeune femme vient jeter un coup d'œil en passant puis disparaît, indifférente, sans avoir prononcé un seul mot. Je demande les horaires du spectacle dans mon américain incertain avec un accent français si caractéristique que surgit une troisième femme qui me donne, alors, en français, les renseignements désirés. Curieuse, elle veut savoir ce que je suis venue faire à New York, ce que je fais à Paris. Elle me dit être française. D'une trentaine d'années, brune, svelte, je la trouve assez belle. Au moment où je laisse se refermer la porte de l'ascenseur, elle ajoute : « Venez à l'heure vendredi, il y aura du monde. »

Le vendredi suivant, la grille a disparu. Je pénètre dans un appartement dont la pièce principale a été sommairement transformée en une sorte de café-théâtre. On y a installé une petite scène avec son estrade, son rideau et, pardevant, plusieurs rangées de bancs où une cinquantaine de spectateurs, pour la plupart des hommes, se serrent comme ils peuvent. Lorsque j'arrive, en retard comme à mon habitude, le spectacle est commencé. Je me glisse discrètement vers le banc du fond où se trouvent encore une ou deux places libres, juste à côté d'une table ronde à abattants, où sont disposés quelques assiettes de gâteaux secs et, empilés, des gobelets de carton paraffiné. Sur la scène éclairée, je reconnais la Française qui, très fardée, épaules et bras nus, gainée d'un justaucorps lacé de vinyle brillant, retenant, par des jarretelles étroites, de hautes cuissardes moulantes, la cravache à la main, fouette un homme dévêtu, à genoux, dos au public, dont on peut voir le visage en reflet dans la glace miroir qui constitue le fond de la scène. Ce visage n'exprime rien ou plutôt je suis trop éloignée pour savoir, de façon certaine, s'il exprime quelque chose ou non. C'est un visage jeune et blond. Lorsque la Française le fait pivoter vers l'assistance, je vois que c'est aussi un corps mince, sans trop de muscles ni de poils, agréable vraiment. Au moyen de bracelets de cuir, elle lui attache alors les poignets à une chaîne d'acier qu'elle tend grâce à un système de poulies fixées à une potence en bois et une manivelle qu'elle tourne au fur et à mesure que le corps s'étire, bras tendus et joints au-dessus de la tête. Lorsqu'elle s'arrête, je me hausse un peu pour voir s'il est étiré jusqu'à ne reposer que sur la pointe des pieds. Non, les talons n'ont même pas décollé du sol. Dommage ! Elle se remet à le fouetter, de plus loin, avec un air sauvage qui va au-delà de la force des coups qui ne me semblent pas si violents que ça. L'homme a un début d'érection et se mord les lèvres, ce qui écarte le soupçon, toujours désappointant, de frime totale. Elle a la main sûre, le geste large, le regard froid, la bouche dure, la lèvre rouge. Cela sied au rôle de « maîtresse » qu'elle s'est choisi et auquel elle colle si bien qu'elle pourrait figurer dans la bande de femmes-araignées, de femmes-tigresses, ses consœurs dessinées de la baronne Steel. Son partenaire dans le rôle soumis n'est pas moins conforme au modèle idéal. Quand elle le détache enfin et que se ferme le léger rideau de scène, le public applaudit beaucoup. Ne s'agit-il pas de théâtre ?

Le sujet de ce premier numéro était, à n'en pas douter, le fouet. Celui du second sera le « bondage » (B/D en abrégé dans les petites annonces spécialisées) ou, en français, le « ligotage ».

Une jeune femme rentrant chez elle surprend un voyou en train de cambrioler son studio. Il se rue sur elle, la maîtrise sans trop de difficulté, après une courte lutte où s'écartent les deux pans de la blouse vaporeuse tout juste croisée sur la poitrine. (Elle ne porte pas de soutien-gorge.) Afin de poursuivre son ouvrage dans la tranquillité, il la bâillonne, l'assoit de force sur une chaise où il se met à l'attacher, jambes ouvertes, avec une corde trouvée providentiellement au pied de ladite chaise. Il la ligote solidement, passant et repassant la corde en tous sens, bien plus que ne le justifie son désir de continuer à fouiller les tiroirs sans être dérangé et ce d'autant plus que la jeune fille, sitôt bâillonnée, a renoncé à se débattre (trop vite, je trouve). D'ailleurs plus personne ne s'intéresse à la suite du cambriolage : le cambrioleur pas plus que les autres. Dès qu'il se recule de quelques pas pour juger de son œuvre, après s'être assuré une dernière fois que la jeune femme en est bien réduite à l'impuissance, en introduisant les doigts entre les seins et la corde puis entre les cuisses qu'elle essaye en vain de refermer, le rideau tombe. Et le public applaudit beaucoup.

Les numéros se succèdent ainsi, passant en revue les cas de figures les plus connus du sadomasochisme. Après le « bondage » il y aura les « lesbiennes sadiques », puis « le marchand de chaussures fétichiste », etc.

À chaque retombée de rideau, le public applaudit, content.

Mais moi, je ne suis pas contente : au fur et à mesure que le programme s'avance, les saynètes sont de moins en moins convaincantes. Les deux lesbiennes, qui n'ont pour elles que leur jeunesse, ont l'air de bonnes filles auxquelles on aurait prêté des vêtements qu'elles ne sauraient trop comment enfiler. Celle du marchand de chaussures est traitée à la rigolade. La Française (c'est sa deuxième apparition), en strict costume-tailleur, gantée, chapeautée, essaie des paires de bottines chez un chausseur fétichiste qui accumule, volontairement, les bévues. Il se fait maltraiter par la cliente énervée qui lui envoie des coups de pied. Cela lui plaît. Il le fait savoir, en aparté, à l'assistance, par des clins d'œil accompagnés de mimiques obscènes. L'assistance, déjà joviale, se met à rire franchement. Comme je supporte mal la rigolade et son désamorçage grossier, je suis de plus en plus mécontente.

La revue terminée, les acteurs et actrices viennent et reviennent saluer un public décidément satisfait. Je me lève pour partir lorsque l'une des actrices s'avance et fait une annonce qui semble inviter les spectateurs à monter sur la scène et à utiliser leur service et les accessoires mis gracieusement à leur disposition pendant quelques minutes.

Un jeune Eurasien se précipite sur l'estrade, glisse quelques mots à ladite actrice, baisse vivement son pantalon, se couche sur la chaise (où le ventre pouvant seul reposer sur le siège trop étroit, les bras et la tête pendent dans le vide). L'actrice-à-l'annonce, jeune, ronde, sans grâce, se met à le fesser. Elle le fait avec une telle mollesse que l'on croirait plutôt qu'elle lui donne une série de tapes amicales. Je me demande si elle n'aurait pas besoin de quelques conseils... Je n'ai pas le temps de répondre à la question que le jeune Eurasien se relève déjà, redescend, imperturbable, se rassoit sur son banc sous les applaudissements et que se lève, au premier rang, sa voisine immédiate, une « belle blonde » qui le remplace rapidement sur la scène, s'empare de la jeune fesseuse, la couche sur la chaise, se met à la frapper avec détermination, comme si elle jugeait bon, elle aussi, de lui montrer comment s'y prendre, mais directement, sans passer par le biais de conseils. Interrompue par l'un des acteurs qui a cru devoir la modérer, elle retourne vers son banc ; au lieu de se rasseoir, elle reste debout, défait, calme, un à un, les boutons de son corsage de soie ivoire, l'ôte, puis dégrafe sa jupe droite de laine grenat. Elle donne le tout à son autre voisin, un homme que j'aperçois entre les têtes, un homme aux cheveux blancs, visiblement plus âgé qu'elle. Elle apparaît alors en soutien-gorge de cuir noir et ceinture de chasteté, du même cuir noir, fermée par un petit cadenas doré. Je ne suis pas sûre du soutien-gorge (c'était peut-être un corselet) mais je le suis de la ceinture de chasteté dont le cadenas produit un léger cliquetis lorsqu'elle monte, sérieuse, toujours aussi calme, sur la scène, suivie de l'homme aux cheveux blancs. Elle lui présente ses poignets pour qu'il les enserre dans les bracelets de cuir qui pendent au bout de la chaîne. Comme la Française au début du spectacle, il tourne la manivelle et la chaîne se tend, se raccourcit dans un grincement de machinerie médiévale. La femme se trouve suspendue par les bras, sur la pointe des pieds, dans une pose traditionnelle mais flatteuse (et même excitante pour peu que les attaches, correctes, évitent, entre autres, les cordes qui rentrent dans la chair et la blessent). L'homme opère avec dextérité, comme si ça n'était pas la première fois qu'il se servait de cet appareillage. S'agit-il de « vrais spectateurs » ? Plutôt que le mari ou l'amant, l'homme ne serait-il pas le compère d'un numéro-surprise, prévu en fin de programme pour les amateurs de « bis » ? Un « bis » qui ne risque pas, en tout cas, de lasser car, après quelques coups de fouet de pure forme, l'homme la libère et tous deux reprennent leur place de simples spectateurs, parmi ceux qui n'ont fait que regarder et qui applaudissent, bien évidemment. Comme personne ne se présente pour leur succéder, il n'y a plus qu'à passer au « verre », une sangria (ce qui explique les gâteaux secs et les gobelets à côté de moi), dernière des *« gratuities »* offertes par la maison avant la séparation. Une fois éteints les spots de la scène, la sangria est apportée dans un saladier familial. Les acteurs remplissent les gobelets, les distribuent aux spectateurs qui se sont, entre-temps, regroupés autour de la table ronde. C'est là, dans la chaleur de la sangria conviviale, que s'échangent les commentaires, les adresses, les numéros de téléphone. La Française, qui a laissé son impressionnant costume de scène pour une petite robe discrète, me demande si « j'ai aimé ». Je fais la moue : elle, oui, elle est bien, mais les autres... ! Elle en convient. Interrogée sur la belle blonde et l'homme aux cheveux blancs, elle m'assure qu'il ne s'agit pas de compères mais d'un couple qui vient s'exhiber, de temps en temps, toujours de la même façon, à la fin du spectacle. Elle me questionne sur « ce qui se passe à Paris », les adresses de couturiers spécialisés dans les vêtements de cuir, etc. (elle me prend décidément, et malgré mes dénégations, pour une professionnelle venue voir « ce qui se fait » à New York). Marianne (elle s'appelle Marianne) interrompt abruptement la conversation car elle doit, dit-elle, aller parler à un client. Il est tard : j'en profite pour m'éclipser.

Seule dans la nuit moite, je m'interroge sur la signification exacte de la dénomination client ; pendant le trajet en taxi qui me ramène « *down-*

town », la soirée redéfile dans ma tête. À la lumière nouvelle, crue, de ce mot qui accroche, « client », elle m'a tout l'air d'être agencée comme un piège insidieux qui vous prend sans que vous y preniez garde. Vu sous cet angle, le spectacle est aussi bien, en effet, une collection de saynètes illustratives où choisir votre modèle, la participation du public une façon de vous inciter à goûter au savoir-faire des exécutants, à l'agrément des accessoires, le « verre » une manière de faciliter aux plus timides, dans le coude-à-coude informel du buffet et l'euphorie de l'alcool partagé, les entrées en matière (la petite robe de Marianne, dans sa modestie même, n'était-elle pas « abordable » en quelque sorte ?) et la décision audacieuse, celle de demander un rendez-vous. Et vous êtes devenu insensiblement, sans vous en rendre compte, un client, peut-être même l'idéal : un client régulier.

Je me rappelle, l'avant-veille, la grille, la fille étonnée, méfiante, les allées et venues, Marianne en plein après-midi, la grille aux arabesques de fer, la grille obstinément fermée sur les rendez-vous cachés des belles-de-jour new-yorkaises.

Astrid SCHILLING

LE GARAGE

Au dire de son entourage – principalement des hommes –, Aline était une jolie femme spontanée, extravertie et chaleureuse.

Très jeune, elle avait su combiner bon sens et opportunisme : c'est ainsi qu'après la mort prématurée de sa mère, à seize ans, elle quitta son village et s'installa à Reims chez un notaire, en échange de quelques travaux.

Aline parvint rapidement à conquérir ce bougre d'Octave Raguinet. Elle lui plut d'emblée, ayant su trouver la manière de le flatter tout en gardant dans ses propos une fraîcheur candide. Quelques jours à peine après son engagement, lassée déjà de l'exiguïté de sa chambre, Aline pénétra, avec une audace toute juvénile, dans celle d'Octave, et se glissa sous l'édredon de plumes. Là, elle rendit au notaire les honneurs dus à son rang et le pauvre Raguinet en perdit presque ses minutes.

Ce fut aussi dans les bras d'Octave qu'Aline découvrit son pouvoir sur la gent masculine.

Dans sa naïveté, le notaire contribua à l'éducation sexuelle de la jeune femme, assailli par elle de questions d'une incroyable lubricité.

Elle lui parlait comme à un confident et Octave ne pouvait s'empêcher d'ajouter à ses secrets quelques anecdotes pimentées qu'il avait lui-même vécues. Il lui raconta comment il faillit compromettre sa carrière en séduisant une jeune fille qui, comme Aline, n'était pas majeure.

« Elle te faisait bien l'amour cette fille-là ? demanda Aline.

– Moins bien que toi. Elle ne jouait pas avec ma queue. Toi, tu l'emploies à merveille. Si tu me suçais, petite chérie ?

– Que me donneras-tu en échange ?

– Des conseils.

– Pour te faire jouir, Octave ?

– Pour faire jouir tous les hommes !

– Oh oui, raconte-moi. »

Aline s'occupa si bien d'Octave Raguinet que celui-ci décida de tout lui donner, hormis son argent : la plus grande partie de son temps, son sexe, ses rêves et ses désirs. Il acheta des livres anciens, à l'érotisme suranné mais plaisant, des jarretières pour la parer comme pour les fêtes de Saint-Eustache, des boules de geisha en ivoire qu'il commanda, après de nombreuses hésitations, dans un catalogue de vente par correspondance.

Le notaire ne put garder longtemps le secret et sa vantardise de mauvais aloi contribua à façonner le destin de la jeune femme. Très vite, les propos d'Octave Raguinet furent déformés et circulèrent comme une bourrasque dans tout Reims. De bouche à oreille, on ne connaissait plus qu'une petite chanson à la rime suggestive : Aline aime les pines.

C'était vrai qu'elle les aimait et bientôt elle ne s'en cacha plus. Elle quitta Octave Raguinet qui, pour la garder, la demanda en mariage. Elle refusa et s'installa dans un petit appartement donnant sur la place de la cathédrale, au-dessus d'un garage.

C'est là qu'elle fit venir ses amants, au nombre de sept, pour égrener les jours de la semaine. Les recruter fut facile, le notaire, par ses propos élogieux et salaces, avait suscité bien des convoitises.

Les amants d'Aline étaient des brutes. Ils lui faisaient l'amour jusqu'à l'endormir d'épuisement, et bien souvent elle ne les entendait pas quitter son appartement. Dans son sommeil, elle imaginait qu'elle faisait encore l'amour. Elle était cette femme qui n'a de cesse de vouloir plus de jouissance et, dans ses rêves, elle inventait des poses d'amour impossibles qu'elle tentait de concrétiser lors de ses rendez-vous galants. Aline aimait, par exemple, ce qu'elle appelait la position de l'archet sur la contrebasse : elle posait son front sur l'oreiller, lançait ses jambes en l'air, les écartait grandement et demandait à l'homme de faire vibrer bien profondément en elle son archet. La chatte ouverte de la jeune femme appelait le sexe comme un aimant et l'homme devenait un musicien émérite, concentré à faire sourdre des cris d'Aline comme un lamento.

Elle ne jurait que par le corps, la danse des membres, la volupté de la blancheur étalée au creux des cuisses. De ses amants hebdomadaires, elle n'avait qu'une exigence : qu'ils soient toujours prêts en toute circonstance. Elle aimait particulièrement échanger avec eux des propos légers et sentir en même temps sous ses doigts gonfler leur sexe. Elle pressait un peu ceux-ci pour susciter le sang dans la veine, puis venait d'elle-même se planter sur leurs chibres affolants.

Georges, l'un des « habituels » comme elle les appelait, était son préféré. Il venait toujours à elle avec des yeux gourmands et un sexe lourdement tendu sous son pantalon. Aline, en le regardant, pouffait chaque fois du plaisir qu'elle aurait de la rencontre et picorait de baisers, pour contenir une joie trop voyante, les joues flasques du garagiste.

Cette fois encore, elle ne fut pas déçue. Il ouvrit sa braguette et sortit sa queue raide et charnue. Inconscients tous deux de leurs halètements, il commença à la travailler, comme une belle réparation, avec ce soin qu'il aurait mis s'il avait pu entretenir une voiture étrangère hors de prix.

« Pousse plus fort, Georges ! »

Georges poussa son dard plus avant, le fit aller et venir avec cadence.

Aline, sous la violence des coups, bascula en arrière, propulsée vers le fond du canapé. Les cheveux épars sur les coussins couleur guimauve, elle se laissa totalement emporter dans une extase qui lui alla à ravir. Georges continua à la besogner avec la tendresse bourrue de sa cinquantaine et le contentement d'un plaisir sans interrogation.

Tout à leurs ébats, c'est à peine s'ils entendirent les sept coups du clocher de la cathédrale. L'appel de la messe signifiant le repas du soir et la nécessité pour Georges de rejoindre sa famille, il ramona Aline avec plus d'acharnement encore, puis poussa un cri rauque. Aline retint son amant en elle jusqu'à ce qu'elle-même jutât une troisième fois. Le désir évanoui, ils se quittèrent d'un baiser distrait.

À peine le garagiste eut-il quitté l'appartement de sa maîtresse qu'on frappa à la porte. Une femme d'une cinquantaine d'années, aux vêtements simples et au visage buriné, se tenait sur le seuil. Elle entra dans le salon et s'assit pesamment dans un des fauteuils. Après avoir repris le souffle qui lui manquait pour s'exprimer, elle regarda la jeune femme de bas en haut avec mépris et lui lança :

« J'ai tellement entendu parler de vous que maintenant cela ne me fait plus rien d'être ici.

– Qui êtes-vous ? demanda Aline.

– Vous, vous êtes une malheureuse, dit-elle.

– Que me voulez-vous ?

– Georges est-il là ? »

Désarçonnée, Aline répondit rapidement :

« Non. Qui le demande ?

– Moi. Depuis qu'il vous connaît, Georges a le feu au cul. Et quand on a le feu au cul, on ne peut plus marcher droit. J'vous préviens : si vous vous avisez de le revoir, il vous en cuira.

– Vous êtes sa femme ? » Aline fit une pause, puis reprit : « Georges ne vient pas ici. Il travaille en bas au garage. Vous vous trompez d'étage !

– Tout le monde sait ce que vous faites aux hommes. Il n'y a pas de place pour une pute comme vous dans cette ville. »

Tandis que la femme se perdait en insultes, Aline s'était approchée tranquillement de la fenêtre. Elle lança :

« Regardez qui traverse justement la place !

– C'est lui ? » demanda la femme avec une anxiété incontrôlée. Elle s'élança vers la fenêtre.

Aline la regarda méchamment :

« Il vient de sortir de l'église. Il prie pour votre salut et pour que vous lui laissiez prendre un peu de plaisir hors de votre con triste et desséché. »

Interloquée, la femme ne put répondre. Aline poursuivit :

« Je vais vous rendre service, parce que je vous aime bien, ou plutôt, j'aime la belle pine chaude de votre Georges. C'est le meilleur conseil que je puisse vous donner. Reculez ! »

La femme ne bougea pas.

« Reculez, ou vous ne saurez pas. Faites ce que je vous dis. »

Furieuse, la femme se dirigea vers la porte :
« Je n'ai pas de conseil à recevoir d'une... ! »
Elle ouvrit la porte pour partir.
Aline la retint :
« Si vous restez encore quelques instants, je vous promets de ne plus revoir votre mari... Là, c'est bien. Allez vous rasseoir. Vous méritez mon conseil. Vous pourrez vous en servir jusqu'à la fin de vos jours, même si votre Georges ne vous aime plus. »
Appuyée contre le rebord de la fenêtre, les premières illuminations nocturnes de la cathédrale auréolant son corps splendide, Aline souleva son ample jupe en laine au-dessus de ses genoux.
La femme regarda le mouvement d'Aline comme hypnotisée.
Les mains de la jeune femme remontèrent au-dessus de ses bas, vers un endroit sombre et mouillé qu'elle dégagea en écartant le vêtement. Sa chatte, aux poils noirs et drus, était grande et brillante. Elle semblait enfouir les doigts d'Aline comme une forêt.
Consciente du spectacle qu'elle offrait pour se venger, elle commença à gémir.
« C'est horriblement bon, ces caresses. Vous devriez vous toucher aussi, à moins que vous n'ayez honte ! »
D'une impudeur inouïe, elle écarta ses chairs, laissant apparaître, au-delà de ses lèvres pulpeuses, un clitoris d'une grosseur impressionnante.
« C'est le jour du blanc ! Tout le foutre de votre Georges ! Qu'est-ce qu'il m'en a mis ! »

Elle fourra deux doigts dans son sexe et les retira couverts de sperme. Elle se mit à les lécher consciencieusement.

« Il n'a plus une goutte pour vous ! Que c'est bon de se branler. Je me demande comment je peux encore ! Il m'a fait jouir trois fois. »

Tout en disant cela, Aline se mit à pétrir son clitoris comme une mie de pain, à titiller frénétiquement son bouton pour le gonfler d'un désir explosif. Ses doigts coururent comme des voleurs de plaisir sur son sexe béant, glissèrent sur ses lèvres dodues pour s'engouffrer d'un coup dans la fente. Ne pouvant se contenir plus longtemps, elle hoqueta sa jouissance tandis que retentissait le claquement simultané de la porte d'entrée.

La semaine qui suivit fut terrible pour Aline. Mille fois, elle voulut descendre au garage prendre des nouvelles de son amant. Elle se retint, se demandant quelle serait sa réaction. Avait-il appris la visite que lui avait faite sa femme ?

Choisissant la prudence, Aline se contenta de ses « habituels », moins performants, mais tout aussi raides, pour la pilonner. La jeune femme leur fit du bien, reportant sur eux toute la tendresse qu'elle ne pouvait donner à son préféré. Elle leur fit l'amour avec exaltation, suçant leurs queues à les faire rougir comme des braises, présentant son cul avant tout autre jeu, et criant dans le feu de sa rage les mots les plus orduriers qu'elle pouvait connaître.

Aline continua pourtant à guetter les allées et

venues de Georges au garage. Elle crut même reconnaître sa voix, mêlée aux bruits des moteurs. C'était de lui dont elle avait besoin. Ses autres hommes n'étaient que maigre consolation.

Elle crut le surprendre un matin montant l'escalier. Elle avait deviné son pas pesant et, le cœur plein d'espoir, avait aussitôt ouvert la porte de son appartement en l'appelant. Personne ne lui répondit. Elle descendit au rez-de-chaussée. L'entrée latérale du garage donnant sur le corridor de la maison était fermée le dimanche. Elle tenta d'ouvrir la porte, une faible lumière filtrant sous le pas. Son effort fut récompensé. En entrant, elle percuta un bidon de peinture qui traînait près d'une Peugeot. Le bruit lui fit peur. Elle traversa le local encombré de voitures et se dirigea instinctivement vers l'endroit éclairé.

« Georges ? appela-t-elle, angoissée. Tu es là ? Réponds-moi. »

Elle entendit un bruit de succion, un autre encore, des frôlements indéfinissables, comme une sorte de lutte.

Elle s'approcha du bureau de la direction et colla son nez sur la vitre pour scruter l'intérieur. Elle vit ce dos puissant qu'elle connaissait. Même la salopette bleue n'arrivait pas à dissimuler les muscles saillants de son amant. Émue de le voir, elle entra dans le bureau.

Il était là, en transe. Ses bras forts serraient ceux de sa femme, allongée sur la table. Il la besognait et la pouliche en chaleur balançait sa tête de gauche à droite pour scander les coups.

Elle semblait prendre un plaisir terrible. C'est alors que, dans un de ses mouvements, elle vit Aline. Elle poussa un feulement qui fit arrêter son mari tout net. Elle hurla :

« Je vais la tuer ! Georges, que fait ta putain ici ? »

Et à l'adresse d'Aline :

« Salope ! Pouffiasse ! »

Aline quitta la pièce en larmes. Elle ne pouvait supporter de voir son amant dans les bras de sa femme. Elle s'affala lentement contre une R5 en réparation. La femme bondit hors du bureau, avec à sa suite un Georges tout perdu, partagé entre une tendresse spontanée pour sa maîtresse et la retenue du devoir conjugal. Il ne put que balbutier à l'adresse de sa femme :

« Suzanne ! Calme-toi ! Suzanne ! »

Celle-ci avait saisi Aline par les cheveux et toutes deux se battaient à même le sol. Georges chercha à les séparer, mais les corps étaient si bien enlacés qu'il ne put les distinguer l'un de l'autre. Il voyait tantôt le rictus de haine sur le visage de Suzanne, tantôt les ongles pointus d'Aline déchirer le chemisier de sa femme. Aline prit les tétons de Suzanne et les pinça violemment. Celle-ci poussa un cri de douleur qui vibra dans toute la pièce.

Suzanne n'eut plus qu'une idée : tuer Aline ! Pour l'humiliation qu'elle lui avait fait subir, pour lui avoir pris son mari.

Dans la lutte, rivalisant d'insanités, les deux femmes se crachaient au visage et proféraient, pour décupler leur force, des phrases immondes.

Georges saisit Suzanne par les vêtements et la dégagea d'un coup de l'étreinte d'Aline.

« Suzanne, ça suffit ! Aline aussi ! »

La poigne de Georges était ferme. Suzanne était sa prisonnière. Elle se calma un peu, tout en continuant à invectiver son ennemie et à lui lancer des regards haineux.

Elle regarda alors son mari : elle ne l'avait jamais vu ainsi. Une rage froide l'avait saisi d'un bloc. Il resserra sa prise.

Aline se redressa lentement. Du sang perlait sur son front le long de ses cheveux. Elle passa la main sur son visage : rien n'était cassé.

Georges entra dans une colère terrible :

« Vous méritez toutes les deux une dérouillée. Qui décide entre un homme et une femme ? Eh bien, pour moi, c'est l'homme ! Aline, viens ici ! Approche ! »

Aline eut un sursaut :

« Que vas-tu faire ?

– Tais-toi, tu verras bien ! Tu n'as rien à dire. »

Aline s'avança vers lui :

« Georges, tu ne vas pas me faire mal ? »

Georges lâcha Suzanne après s'être assuré qu'elle allait lui obéir et se dirigea vers une voiture. Tandis que les deux rivales évitaient de se regarder, il prit des cordes dans le coffre, puis s'approcha de sa maîtresse, toute tremblante. Elle répéta :

« Tu ne vas pas me faire mal ? »

Il ne répondit pas et l'attacha par les poignets à un des piliers de l'élévateur de voitures.

Suzanne ne put s'empêcher d'intervenir :

« Georges, tu me la laisses ? »

Exaspéré, il se tourna vers elle :

« C'est moi qui m'en occupe. Toi, viens par ici. »

Il prit sa femme par la main et la fit asseoir dans une Fiat accidentée placée sur l'élévateur. Il l'y enferma après deux essais infructueux pour fermer la portière emboutie, puis actionna le mécanisme de levée. Avec lenteur, l'engin monta dans les airs, étirant en même temps les bras attachés d'Aline.

Le garagiste arrêta la machine lorsque le corps de sa maîtresse fut tendu au maximum. Il lui arracha sa jupe et s'acharna sur sa culotte qu'il mit en lambeaux.

« J'ai bien envie de frapper ton beau cul de salope. Qu'est-ce qu'il est excitant comme ça tout offert ! »

En haut, Suzanne, dans tous ses états, se collait contre la fenêtre pour voir ce que son mari allait faire. Elle criait à Georges de se venger. Les mots leur parvenaient assourdis, mélopée guerrière.

« Georges, souffla Aline, prends-moi. J'ai tellement envie de toi. J'ai la chatte en feu ! »

Georges mit un, puis deux doigts dans le sexe d'Aline et les remua. Elle se trémoussa de plaisir.

« Tu aimes qu'on t'écarte bien ? Tu dois aimer les grosses queues ! »

Elle ne répondit pas, terriblement excitée.

« Tu es bien mouillée ! J'adore ça ! Tu sais que tu me fais bien bander ?

– Prends-moi ! supplia-t-elle, je ne peux plus tenir.

– Tu peux crier si tu en as envie ! D'autant plus que je vais te dilater au maximum. »

Georges ôta ses doigts de la chatte d'Aline. Il entendit plus haut Suzanne lui crier de la frapper, de punir cette pouffiasse. Elle le vit mouiller lentement toute sa main et la descendre dans le bas du dos de sa maîtresse. Le reste du spectacle échappa à sa vue.

Georges intima l'ordre à Aline de mieux écarter les jambes. Elle obéit, tremblante.

Les tenant bien serrés pour leur donner l'allure d'un fuseau, il inséra alors lentement tous ses doigts dans le passage étroit. Aline haletait sous la terrible pression.

« Je mettrai toute ma main, même si je dois te déchirer !

– Non, Georges, tu me fais mal.

– Je vais te faire jouir comme jamais tu n'as joui. »

Il pénétra plus avant dans le con.

« Maintenant, le plus dur ! C'est l'endroit où ma main est la plus large ! »

Il poussa férocement pour enfoncer le reste de sa main dans le con d'Aline. Celle-ci hurla lorsqu'il arriva à l'envahir entièrement. Elle regarda sa chatte et vit qu'elle avait tout englouti. Seul dépassait le poignet velu de son amant.

« Qu'est-ce que tu jutes ! »

Tout en jouissant, la jeune femme poussait des cris profonds et caverneux. Elle suppliait Georges de ne pas bouger d'un millimètre tant son con était bouillant comme une torche et tendu à en éclater.

Lorsqu'il jugea que sa maîtresse avait bien eu conscience qu'elle lui appartenait totalement, Georges se retira doucement du fourreau de chair et Aline laissa tomber sa tête sur les épaules solides du garagiste.

« Georges ! gémit-elle. Georges ! »

Celui-ci prit le visage d'Aline entre ses paumes épaisses et l'embrassa fougueusement.

« Tu me détaches ? Je suis fatiguée », souffla-t-elle.

Il continua à l'embrasser sous le regard convulsé de sa femme qui martelait de ses poings la vitre bloquée de la voiture, puis glissa ses doigts entre les cuisses d'Aline. Elle cria :

« Non, s'il te plaît, j'ai trop mal, c'est brûlant !

– Je ne te toucherai plus le sexe, puisque tu n'en as pas envie. Mais moi aussi, j'ai besoin d'avoir du plaisir. Et tu vas m'en donner. »

Georges ouvrit la braguette de sa salopette et sortit sa queue. Il la frotta contre les fesses de sa maîtresse, puis écartant énergiquement les deux globes blancs et tièdes, il l'encula.

« Tu sens comme elle est bien dure dans ton cul ? Je n'ai eu aucun mal à y entrer. » Il la pistonna lentement d'abord pour que sa queue s'adaptât bien au fourreau, puis la ramona sans tenir compte de la souffrance d'Aline. Prenant lentement goût au supplice, celle-ci commença à imprimer elle-même le rythme du va-et-vient dans son cul.

« Qu'est-ce que t'es chaude ! »

Aline bougeait des fesses comme une danseuse de harem, en balançant des hanches autour du pieu gonflé. Elle prenait un plaisir profond et animal à être pénétrée pour la première fois par-derrière. Sa jouissance fut terrible. Son cri creva l'air et monta vers l'élévateur. Georges lâcha presque aussitôt son épaisse et lourde semence.

« C'est fou ce que je t'en ai mis ! » dit-il en la regardant avec une fierté mêlée de tendresse. Il la détacha et elle se blottit dans ses bras.

« Georges, je suis à toi », dit Aline, un peu penaude.

Étourdie de tant de plaisir, les jambes de la jeune femme se dérobèrent. Georges la rattrapa de justesse.

« Holà, ma belle ! Toi, je vais t'allonger. » Il la porta dans ses bras, l'emmena vers le coffre ouvert de la voiture et l'y déposa. Aline gémit lorsqu'elle toucha le caoutchouc glacé.

« Tu m'en veux ? lui demanda-t-elle.

– Oui, je t'en veux. Tu n'aurais pas dû te branler devant Suzanne. Ça, je ne te le pardonnerai jamais.

– Ne dis pas ça, Georges, ne dis pas ça. »

Et d'une toute petite voix :

« Que vas-tu faire ? Je voudrais qu'on continue comme avant. On continuera comme avant, dis ? C'était tellement bien. »

Le garagiste la regarda attentivement sans répondre.

« Comme avant, comme avant, répéta-t-elle comme pour conjurer le sort.

– Repose-toi avant que je revienne. Je m'occuperai encore de toi tout à l'heure. En attendant, tiens-toi tranquille et reprends des forces.

– Tu ne vas plus me punir ? »

Georges, sans un mot, se dirigea vers l'élévateur. Aline se tassa dans le coffre, obéissante et épuisée. Il actionna, d'un mouvement sec, le mécanisme de descente. Suzanne, enrageant d'être restée enfermée sur la plate-forme, chercha à précéder le mouvement. Le bras droit accroché au volant de la voiture, le gauche au dossier du fauteuil, elle s'arc-bouta au maximum et poussa ses jambes violemment contre la portière endommagée qui céda finalement. Mais, bien que folle de colère, elle dut se résoudre à se rasseoir, ne pouvant se tenir debout sur le rebord du pont. Georges la prit dans ses bras dès qu'elle fut à sa hauteur. Suzanne se mit à lui donner des coups de poing de fureur et de dépit. Il lui demanda de se calmer.

« Me calmer ? cria-t-elle. Tu en as de bonnes ! Salaud ! Salaud ! Que lui as-tu fait pour qu'elle crie comme ça ? Tu l'as bourrée ? Tu lui as foutu ta queue entre les jambes ?

– Ça suffit !

– Non, ça ne suffit pas. Je ne me calmerai pas. Qu'est-ce que tu lui as fait ? cria Suzanne, déchaînée. Tu l'as bien pistonnée, c'est ça ? »

Georges, de rage, la secoua comme un prunier.

Elle continua :

« Tu ne me fais pas peur ! T'es devenu cinglé. Ce sont les femmes qui t'ont fait ça ! Elles t'ont fait tourner la tête. T'as plus de tête, t'as plus qu'une bite. Pauvre con ! Va rejoindre ta pouffiasse ! »

Georges frappa sa femme au visage, juste pour la faire taire. Il la porta vers la voiture, la déposa contre l'aile arrière, la secouant doucement pour lui faire reprendre ses esprits.

Aline se redressa et passa la tête hors du coffre.

« Georges, que vas-tu faire ? Elle est là ? Laisse-moi partir. Laisse-moi sortir...

– Pousse-toi ! Je ne peux pas la tenir bien longtemps debout ! »

Aline le regarda, anxieuse et étonnée :

« Me pousser ? Mais où ?

– Fais ce que je te dis !

– Mais...

– Pousse-toi, nom de Dieu ! »

Aline recula dans le fond du coffre tout en maugréant :

« Et si elle se réveille ? Je te jure, Georges, que si elle me touche, je lui fais sa fête. »

Il plaça Suzanne dans le coffre à côté d'Aline. Celle-ci réagit brutalement :

« Mais qu'est-ce que tu crois ? Quand elle se réveillera, tu sais ce qui va se passer ? Je veux sortir. Aide-moi à sortir. »

Le garagiste la regarda, énervé :

« Vos histoires de bonnes femmes, j'en ai assez ! Allez vous faire foutre !

– T'es cinglé !

– C'est vous qui me rendez cinglé ! Il est temps de prendre le frais. »

D'un coup sec, il ferma le coffre en y laissant les deux créatures prisonnières.

Tout en sifflotant, Georges ouvrit la porte du garage. Il regarda la place vide et contempla un bon moment les tours de la cathédrale avant de se décider. Il faisait beau, un temps pour partir à la campagne, un temps à ne pas travailler.

Il laissa le moteur de la voiture chauffer un peu avant de démarrer. Le soleil semblait complice de sa satisfaction : ses deux femmes jouissaient de la promenade avec lui, sans le déranger. Juste au début, comme les mioches qui ne peuvent se tenir tranquilles, il avait bien entendu des coups sourds, et même quelques cris ; mais ce n'était pas ça qui allait gâcher sa journée. Oh ! que non !

Tout en roulant, il se rappela les suppliques d'Aline quand il lui avait mis sa main entière dans le con, les spasmes de Suzanne se balançant sur sa queue, lorsqu'il lui avait fait l'amour sur la table.

Émus par ces souvenirs, Georges dressa l'oreille pour écouter en direction du coffre. Il crut à nouveau entendre des coups allant en s'affaiblissant et des râles étouffés. Sur la route, il croisa la voiture du notaire et lui fit un petit signe de la main.

Georges alluma la radio, chanta avec Elvis *Are you lonesome tonight*, puis s'arrêta à une station-service pour s'acheter un Coca. Il en prit trois, les filles auraient certainement soif. Sa femme et sa maîtresse... Georges pensa qu'il était, ce dimanche-là, un homme heureux.

Il reprit la route en sifflotant, s'engagea plus loin sur un chemin de traverse et découvrit, au bout, un étang où barbotaient quelques canards. Le lieu était désert. Georges descendit de la voiture, en profita pour s'étirer. Tout en ramassant les boîtes de Coca sur le siège avant, il pensa à son avenir et se demanda ce qu'il allait faire de ses deux femmes. Il serait peut-être obligé d'en quitter une. L'idée lui fut insupportable. Autant Suzanne était courageuse et indispensable dans les coups durs de la vie, autant Aline lui permettait d'assouvir ses désirs sexuels. L'une ne pouvait remplacer l'autre ! Georges résolut de remettre le problème à plus tard et alla vers le coffre qu'il ouvrit en chantonnant.

« Coca pour toutes les deux ! »

Il les vit. Elles étaient mortes. Les deux femmes s'étaient livrées à une lutte sans merci et mutilées à un point inouï. Des vêtements en lambeaux de Suzanne surgissait, en travers du soutien-gorge, une masse sanguinolante. Ses seins n'étaient plus qu'une bouillie informe. Le téton gauche avait été arraché sauvagement et restait coincé entre les dents d'Aline. Elle semblait sourire au masque glacé de sa rivale.

Avant d'être étranglée, Suzanne s'était vengée elle aussi : elle tenait, entre les doigts raidis de sa main droite, collés par le sang, les poils pubiens d'Aline, et comme un oiseau dans son nid, le clitoris gonflé de la jeune femme.

Le lieu était désert, l'étang tout proche.

Marie-Laure DOUGNAC

COURT-JUS

Un chocolat liégeois attendait Marie, à leur table habituelle, au bar du Verger de la Musique. Pierre remarqua tout de suite la veine à la base de son cou qui battait à tout rompre. Là où il aimait si souvent l'embrasser. « Que se passe-t-il ? » demanda-t-il. Il connaissait bien Marie, et ses excès. Il savait comment l'apaiser. Marie avait quelque chose qui n'était pas encore sorti de l'enfance, et c'est aussi pour cela qu'il l'aimait. Il eut un pincement au cœur quand elle lui annonça que, cette fois-ci, elle était bel et bien virée. Nouveau coup dur pour le groupe : la rédaction prenait des mesures d'urgence. Le dossier sur lequel elle planchait depuis des mois irait aux oubliettes. Et Marie passa en revue toutes les rancœurs qu'elle ne manquerait pas de cultiver dans les jours à venir. Pierre l'écoutait patiemment. Le chocolat fondu dégoulinait de la coupe.

Tout à coup, Marie se tut. Le regard de Pierre se baladait deux tables plus loin. En d'autres circonstances, elle n'eût pas prêté plus d'attention à ce qu'elle trouvait naturel : son mec était un mec, et il n'y avait aucune raison pour qu'il ne profitât pas du paysage, riche et varié, qui s'offre dans les lieux publics d'une grande ville. Mais ce jour-là... Son estomac se noua. « Ça ne t'intéresse pas ce que je raconte ? » fut le premier coup de feu. Pierre bredouilla : « Si, si... mais bon, tu sais... » La deuxième rafale partit : « Tu es avec elle ou avec moi ? » Comme il n'y eut pas de réponse, elle l'acheva : « Tu as raison, elle est pas mal... Restons simples. » Marie se leva d'un bond et se planta devant la table de la fille. « Excusez-moi, dit-elle sur un ton d'extrême courtoisie, je me permets de vous aborder ainsi car figurez-vous que l'homme avec qui je suis assise à cette table n'ose pas le faire. Et comme vous le matez copieusement – et qu'il vous le rend bien –, je me demandais si vous seriez assez aimable pour noter votre numéro de téléphone, afin que je transmette », et elle jeta sur la table un carnet de télénotes qu'elle oubliait toujours de rendre à sa secrétaire. « Vous pouvez également noter vos mensurations, les endroits où vous aimeriez que le Monsieur vous emmène et, bien sûr, vos goûts érotiques, par ordre de préférence. Par exemple, vous adorez la levrette, vous inscrivez : 1) levrette, et ainsi de suite. Sans oublier de préciser vos suggestions personnelles. Tout ceci nous permettra de gagner un temps fou... »

Marie tourna les talons et dévala les marches du grand escalier. Elle repéra au passage le compact-disc qu'elle guettait depuis des mois. Tant pis, pas cette fois. Déguerpir au plus vite. Une fois dehors, elle crut respirer mieux, mais une voix féminine couvrit le brouhaha des Champs : « Madame !... Attendez ! » Elle reconnut la femme qu'elle venait d'agresser et sentit ses oreilles bourdonner. L'inconnue s'approcha, souriante : « Vous êtes magnifique. » Devant Marie stupéfaite qui ne savait pas si elle devait fuir à toutes jambes ou éclater de rire, elle se présenta : « Catherine. Je suis dermatologue. Je prends souvent un verre ici en fin de journée. Laissez-moi vous raccompagner... » Marie se laissa faire. Elle ne désirait qu'une chose : rentrer chez elle et quitter ses vêtements qui lui collaient à la peau comme une toile cirée.

Dans la voiture, elle apprécia tout d'abord l'air climatisé, mais très vite elle sentit ses vêtements se glacer. Elle pensa à ces serviettes chaudes et humides que l'on sert dans les restaurants chinois. Place de la Concorde. Marie avait du mal à engager la conversation. Elle était gênée de se trouver maintenant avec cette femme. Comme si Catherine avait lu dans ses pensées, elle lui dit : « Vous ne manquez pas de cran pour une blonde ! » Marie reconnut confusément qu'elle était parfois impulsive. Catherine sourit à cet euphémisme : « C'est bien, j'aime ça... Que faites-vous dans la vie ? » Palais-Royal. « J'étais journaliste... mais j'ai décidé d'arrêter, dit Marie, orgueilleuse, c'est un métier qui fait rêver, et... – Excusez-moi », coupa Catherine. Louvre. Feu rouge. Elle plongea tout buste en avant vers la boîte à gants au-dessus des genoux de Marie offrant ainsi le spectacle de sa nuque. Une nuque de brune cheveux ras, un grain de beauté qui perle sous la chaînette en or. Marie eut un léger frisson à l'idée que dans un mouvement brusque... Catherine se redressa, les joues rosies. Elle tenait en main un plan de Paris : « Ah, les sens uniques !... je connais très mal le Marais. » Le feu passa au vert. Hôtel de Ville. « C'est votre mari ? » demanda Catherine à brûle-pourpoint. Marie répondit : « Oui... enfin presque. – C'est un homme sensible, intelligent, mais faible... Ne vous faites aucun souci. » Marie ne sut comment prendre cette réflexion. Plus de route lui aurait sans doute permis de mettre un peu d'ordre dans les questions qui lui brûlaient le front. Mais sa confusion trouva un terme au 37, rue des Filles-du-Calvaire. « Vous voici chez vous, dit Catherine en lui tendant sa carte de visite : J'aimerais vous revoir. Appelez-moi quand vous le désirez », dit-elle simplement. Marie la remercia et sortit rapidement de la voiture. Les doigts légèrement tremblants, elle composa son code, monta les escaliers quatre à quatre, espérant être à la maison avant Pierre. Sur le seuil, elle souffla. Marie reconnaissait toujours sa présence, même silencieuse. Elle jeta ses vêtements sur le carrelage de la salle de bains, et se glissa dans la baignoire au ventre nu et blanc. L'eau jaillit du pommeau et Marie goûtait une détente délicieuse au fur et à mesure que l'eau montait. Elle ferma les yeux, se massa doucement la naissance des seins. Puis sa main glissa entre ses deux globes de chair dressés, et atterrit sur son ventre brûlant.

Clic-clic. Elle reconnut le bruit de la porte d'entrée. Un instant, elle retint sa respiration pour suivre les pas de Pierre dans l'appartement. Pourvu qu'il ne vienne pas dans la salle de bains, espéra Marie. Mais ses pas, plus lents que d'habitude, l'entraînaient vers le bureau. L'incident de cet après-midi l'avait sans doute laissé triste. Marie s'en voulait un peu. Mais ils n'en reparleraient pas. Ensemble, ils pouvaient refaire le monde, en rire, complices, mais ce qui se passait entre eux était la dernière chose dont ils pouvaient parler. C'était un amour qui allait de soi, un amour qui s'était épanoui entre ces murs discrets, glissé entre les piles de linge de l'armoire, caché entre les rayons de la bibliothèque. Ils craignaient que le jour où ils auraient à en parler fût le signe de la fin. Aussi Marie s'attardait-elle : elle resta dans la baignoire le temps qu'elle se vide ; elle aimait sentir son corps devenir de plus en plus lourd au fur et à mesure que l'eau se retirait. Puis elle enfila un peignoir et rejoignit Pierre dans le bureau : il releva la tête d'une revue qu'il feuilletait bruyamment depuis son arrivée. Ils se regardèrent, la revue échappa des mains de Pierre. Ils s'étreignirent violemment. Le sol se déroba sous leurs pieds. La nuque et les épaules nues de Marie froissaient les pages du magazine. À chaque baiser, chaque caresse, ils se regardaient, reprenaient leur souffle, étonnés chacun pour soi de la force de leur désir. Et ils firent l'amour ainsi, d'étonnement en étonnement.

Les deux amants ne gardèrent aucun souvenir du moment où ils s'endormirent. Marie, ce soir-là, fit un rêve étrange : elle se trouvait dans une voiture à côté d'une femme rousse qui conduisait. La voiture dévalait une route vertigineuse en lacets. Marie avait déjà emprunté cette route, elle en connaissait les dangers. Plus elle priait de ralentir, plus la conductrice accélérait. Dans un virage, la voiture partit en vol plané par-dessus le parapet. Elle resta un moment en suspension, pendant lequel Marie dit : « Eh bien voilà, c'est foutu ! » Quand Marie s'éveilla, un rayon le soleil poudroyait à travers le store de la chambre. Il était déjà dix heures. Comme les bonnes habitudes des gens qui ne travaillent pas seraient vite prises, se dit-elle. Ses premières pensées furent pour Pierre, pensées qui, si elle s'y attardait, lui pinçaient agréablement le bas des reins. Puis elle essaya d'identifier la femme rousse de son rêve, en vain. Elle songea à Catherine. Que lui voulait donc cette femme ? Et elle se demanda par quoi commencer cette première journée de « vacances » : en profiter pour voir les vieux films qui ne passent que le mardi à onze heures dans une salle pourrie du XVe ? Trop tard. Finir les bricolages en attente depuis des mois ?... Téléphoner aux copines pour s'entendre dire : « Ma pauvre, tu es virée... si ça ne va pas, n'hésite pas à appeler ! » Non. Surtout, éviter l'armée de mères qui se cache derrière chaque bonne copine. Sans réfléchir, Marie composa le numéro du cabinet. Une voix sèche de secrétaire lui répondit : « Le Docteur est en rendez-vous, puis-je prendre un message ? – Non, c'est personnel. » Marie raccrocha, déçue. C'était peut-être mieux ainsi. Elle n'avait rien de spécial à lui dire, et les gens qui travaillent n'ont pas le temps de discuter pour le plaisir. Marie décida de ne plus appeler Catherine.

Le désœuvrement de Marie fit tache d'huile au fil des heures. En fin d'après-midi, elle prit une douche qu'elle espérait revigorante, mais elle ne réussit qu'à s'écrouler sur son lit pour lire un album. Le téléphone retentit. Marie rampa jusqu'au bord du lit et décrocha le combiné. Une voix pleine et forte emplit l'appareil : « Désolée, je vous réveille ! c'est Catherine. » Marie avoua en riant : « Je dors à moitié, je n'ai rien fait de la journée ! Et vous ?... » Catherine soupira : « Horrible !... je vois de plus en plus de cas... Bref, il y a peu de temps, j'ai failli tout plaquer. Heureusement, le soir, je change de blouse et je retrouve un goût décent à la vie : je peins des peaux fraîches, colorées, bien vivantes. La vôtre est exceptionnelle. Une de ces natures de peau qui réagissent au moindre souffle, au moindre excès de chaleur, qui trahissent toutes vos émotions. » Marie sentit ses joues rosir. « Si je comprends bien, vous aimeriez me peindre ?... » Catherine répondit « Oui ». Sous la paume de sa main, Marie sentit la veine à la base de son cou palpiter plus vite. Elle aimait ces conversations au téléphone, quand la voix seule suffit à créer une intimité. « Je serais bien curieuse de savoir..., demanda Marie..., ce qui s'est passé hier après que j'ai quitté le bar. » Catherine lui répondit : « Vous le saurez. Mais dites-moi d'abord ce que vous imaginiez que nous puissions faire, votre ami et moi. » Marie entendit son cœur battre fort dans sa poitrine et dit à voix basse : « Il se serait approché de vous, ses doigts auraient suivi les contours de votre soutien-gorge que l'on devinait sous votre chemisier transparent. Vous, vous auriez ouvert votre chemisier, il vous aurait renversé la tête et il aurait posé sa bouche entre vos seins. Vous vous seriez assise sur un des tabourets du bar. Il aurait remonté votre jupe jusqu'à la taille, il aurait glissé sa main entre vos cuisses pour sentir votre désir. Vous auriez appuyé votre dos contre le bar, et il vous aurait baisée, juste le temps que je finisse ma glace. Voilà. » Marie s'était empourprée. Après un court silence, Catherine reprit : « Je ne vous ai pas quittée des yeux pendant que vous me parliez. Dès que vous avez filé, votre ami m'a adressé un regard étrange, puis il est parti. C'est à ce moment-là que j'ai eu envie de vous rattraper. Et... j'aimerais vous peindre dans une palette entre blanc permanent et bois de rose... », ce sur quoi elles éclatèrent de rire.

Elles prenaient rendez-vous quand Marie sentit un baiser chaud et humide sur son pied, qui l'embrasa tout entière. Elle ne put réprimer un gémissement et raccrocha maladroitement.

Marie resta à plat-ventre ; son peignoir en désordre lui découvrait les fesses. Pierre remonta doucement le long de l'arrondi de ses cuisses, et elle le pria de la prendre ainsi, sans attendre. Son plaisir monta rapidement et explosa en même temps que celui de Pierre, d'une force qui les sépara aussitôt, les laissant côte à côte, défaits sur le lit. Ils restèrent silencieux dans l'attente d'un nouveau désir, et ils refirent l'amour, plusieurs fois dans la nuit.

Quelques jours plus tard, Marie enfourcha son vélo et gagna le Verger de la Musique sous un ciel plombé. Catherine l'attendait déjà. « J'ai essuyé les premières gouttes de pluie », dit Marie, en cachant mal sa nervosité. Un coup de tonnerre claqua, et tout le monde sursauta. Catherine vit apparaître Pierre en haut du grand escalier. Elle interrogea Marie du regard. « Oui, dit Marie dans un souffle. J'avais envie qu'il soit là... qu'il nous regarde travailler... j'avais envie aussi de vous voir le peindre. » Pierre n'avait pas encore rejoint leur table qu'un deuxième coup de tonnerre retentit, plus violent que le premier. Et le Verger de la Musique se retrouva dans une obscurité totale.

Le lendemain, *Libé* titrait : « Court-jus au Verger : la cueillette a été bonne. Un méchant orage d'été a réduit à l'impuissance les cadres du Verger de la Musique. On évalue mal le déficit des caisses à la suite du pillage, auquel se sont livrés, hier soir... »

Michèle LARUE

LE TRIO DE LA SAINT-VALENTIN

Un parfum inconnu figea Frédéric dans l'escalier menant du salon à nos chambres. L'aubaine activa deux petits radars, les capteurs sensoriels de l'imaginaire de mon mari. « Je parierais qu'il s'agit d'une contrefaçon d'Yves Saint Laurent ! », lança-t-il au dîner, la narine palpitante, quêtant la boutade qui gommerait sa pique de jalousie narquoise. Mue par une intuition prémonitoire, je me retins de mentionner la visite de Margarita, une sirène slave au charme froid que je côtoyais deux fois par semaine sur sa jument alezane, au manège de Heilles, près de Noailles.

Le pays de Bray où nous résidons regorge de haras. Je m'y entraîne au dressage de ma chère Altesse, une jument de six ans, prime de consolation offerte par Frédéric à la suite de sa mutation hors de la capitale. Quoique Margarita n'abordât pas avec moi le sujet de sa vie privée, je la soupçonnais de galanterie aux mimiques blasées qu'elle réservait aux cavaliers du cercle. Je savais par notre entraîneur que la sirène logeait dans un château braytois, loué par un peintre géorgien, entre deux voyages à Saint-Pétersbourg. Sur son cheval qui, en réalité, appartenait au cercle, elle semblait sécréter un mystère impérial.

Fidèle aux tons de beige seyant à mon teint mat, j'avais, ce jour-là, régalé la fille de ma tenue d'écuyère verte. Elle l'avait essayée devant la glace de l'armoire. Le costume accentuait sa blondeur. Les effluves d'une eau de toilette qui rappelait « Opium » de Saint Laurent imprégnèrent la chambre tandis qu'elle se changeait sous mes yeux. Le parfum étranger titilla le nez de Frédéric, toujours à l'affût de nouvelles senteurs. Mon mari serait en droit de s'enorgueillir de deux mécanismes dont l'addition le différencie des autres séducteurs de quarante ans : son odorat et sa machine à fantasmes. Son flair s'alerte à toute heure, repérant les cendres froides d'un Davidoff, une orange blette dans la corbeille à fruits, ou le crottin collé sous ma botte. Après la lecture du *Parfum* de Süskind, il clama à la ronde qu'il avait raté sa vocation de nez.

Le second mécanisme, la machine à fantasmes, fonctionne à plein régime au lit dès qu'il m'approche, et ce depuis près d'une année. Partageait-il auparavant ce jardin secret avec quelque amante ? Ou ne suis-je pas plutôt la cause de ces fantasmes, à force de provocations innocentes et perverses ? Aux premiers balbutiements de la machine, il me visualisa en auto-stoppeuse, ravivant un épisode de mon adolescence. Avant notre mariage, je lui avais narré l'aventure. En Provence, entre Roussillon et Gordes, j'avais été entreprise par un colporteur de lavande qui m'avait ramassée au bord de la route. J'étais descendue du véhicule en marche pour échapper à l'énorme paluche qui me pelotait le genou. La senteur des fleurs de lavande avait titillé la mémoire olfactive de Frédéric au point qu'il s'était approprié l'escapade.

Un dimanche, je fis irruption dans la chambre, nue, mes bottes cavalières aux pieds. D'humeur frondeuse, je croyais outrager son pointilleux sens de l'hygiène. La machine à fantasmes fut la plus forte. Il me voulut ainsi pendant de longs mois, émoustillé, à ses dires, par l'odeur du terroir. Au printemps, m'ayant aperçue en jupette de tennis, il me pria de venir le rejoindre ainsi. L'été retentit de nos mots les plus triviaux. Je pressentais l'escalade. Sans grande appréhension, puisque je prenais goût à nos jeux érotiques. Notre couple devint un trio à l'automne, numériquement agrandi par la machine à fantasmes. Juste avant le trio, sur la moquette de la chambre, nous nous étions multipliés grâce aux reflets renvoyés par la glace de l'armoire. Ma concentration chuta devant ce dédale de jambes. Nous regagnâmes, sur mes instances, la couche conjugale.

Le trio s'instaura. La blonde qui s'immiscait chaque nuit entre nous était bisexuelle et pulpeuse. Jeune, bien sûr. L'âge de Margarita. Dotée d'une flexibilité à toute épreuve face à nos pulsions les plus insensées, silencieuse et obéissante à toutes les étapes de nos joutes amoureuses. Elle présidait à nos attouchements et s'évaporait en un nuage soyeux en guise d'épilogue. Sa disparition coïncidait avec l'instant où je me lovais dans l'aisselle de mon homme. La machine à fantasmes s'assoupissait avec nous jusqu'à la nuit suivante.

La blonde pulpeuse de nos rêves éveillés s'inscrivit au cercle hippique un jour de pluie. Depuis le box où je bouchonnais ma jument, je l'identifiai au premier regard. Je m'amusai à lui faire une cour discrète, dissimulant mon enthousiasme. Les églises de la région nous vîmes, bras dessus, bras dessous, arpenter nefs et chapelles. À Saint-Étienne-de-Beauvais, je l'amenai devant la statue en croix de sainte Wilgueforte, la femme à barbe. Nous parcourûmes quelques livres d'Histoire, à la recherche d'informations sur cette curiosité. Nos recherches à la bibliothèque de Beauvais furent vaines. Nous ne savions rien de cette sainte médiévale. Des quelques hypothèses fantasques que formèrent nos imaginations débridées, nous retînmes la plus sexy. Nous décidâmes qu'une barbe lui avait poussé à la suite d'une supplique adressée au ciel afin d'éloigner quelque prétendant indésirable. Cette outrecuidance lui avait valu d'être crucifiée, à une époque où une femme à barbe ne pouvait être qu'une sorcière impie. J'imaginais la tête que ferait mon mari si la superbe créature de nos nuits se métamorphosait soudain en femme à barbe, et je ris sous cape, n'osant révéler à ma nouvelle amie le rôle qu'elle incarnait docilement dans notre intimité.

Frédéric oublia la contrefaçon d'« Opium » jusqu'au jour de la Saint-Valentin. J'avais convié Margarita à un dîner spécial qui ne représentait rien pour elle : les Petersburzhzi ne célèbrent pas la fête des amoureux. Une Française se serait sans doute défilée devant la perspective frustrante de tenir la chandelle dans une telle occasion. Margarita accepta. Frédéric fut mis devant le fait accompli. Il hallucina lorsqu'il découvrit Margarita vêtue de mon costume d'équitation vert, rêvassant devant la cheminée. Debout, elle y appuyait le front, hypnotisée par la magie du feu, les reins cambrés. Frédéric troqua en quelques minutes son costume trois-pièces contre une tenue campagnarde, et déballa son sourire de jeune homme séducteur. Sa main tremblota sur les bougies. Il dut s'y reprendre à deux fois pour en faire jaillir la flamme. Je fis les présentations, affichant une décontraction composée. J'étais tendue. Mon décolleté n'était guère de saison et je frissonnais, essayant de dénouer mes épaules. Au moment de prendre place à table, Margarita m'entoura d'un bras tendre : « Passe un pull ! Tu as un peu froid, n'est-ce pas ? » Frédéric nous cadrait dans son imaginaire en délire, enlacées devant la cheminée de notre salon. La machine à fantasmes tentait de faire le point, tel un objectif de caméra, sur la réalité que je lui proposais à brûle-pourpoint.

Après avoir fait étalage de son érudition en matière de caviar, dont Margarita nous avait apporté un généreux spécimen, Frédéric anima la conversation avec brio durant tout le dîner.

Ses questions tournèrent autour de nos leçons de dressage. Il tentait de cerner notre degré d'intimité car le parfum de l'écuyère avait réveillé son souvenir des effluves flottant dans la maison quelques semaines auparavant. Margarita le mit à l'aise par des sourires que je ne lui connaissais pas. Son regard nous couvait d'une affection inespérée, au point que je la crus complice de ma machination secrète. Frédéric fantasmait à tout va. Je devinais qu'il la déshabillait, zoomant sur les contours de l'étrangère qu'il glissait chaque nuit entre nous. Il inscrivait chaque détail anatomique de Margarita dans sa banque de données érotiques : son menton, arrondi comme celui d'une poupée, posé sur les mains en équerre, ses phalanges blanches en extension, prolongées d'ongles qui rougiraient nos peaux hérissées sous la caresse, les monts saillants des épaules haussées par la position de Margarita, qui avait posé les coudes sur la table. Il incorporait chaque centimètre de cette chair tendre, engrangeait le blé blond en casque sur la nuque droite, emmagasinait les instantanés, de profil, de face, de trois quarts, accroupie, couchée, sur le ventre, assise au-dessus, en dessous. Il vola un cheveu tombé entre les mailles de son pull, mon pull, il le tenait entre deux doigts, souhaitait au fond de lui qu'elle fasse un vœu comme s'il s'agissait d'un cil sur sa joue fraîche, mais n'en dit rien.

Par-dessus le tableau de la table ronde, gobant une huître en l'aspirant très fort, il regardait les jambes de l'écuyère se croiser, puis s'ouvrir. Il la mettait en selle. Elle caracolait sur le manège de nos nuits blanches ; nous devenions montures à tour de rôle. Le triolisme était à portée de main ; je lui offrais sur un plateau de perles noires, ces œufs d'esturgeon qui nous collaient aux lèvres, le plus audacieux des cadeaux pour une Saint-Valentin. D'une voix roucoulante, il expliqua à Margarita comment les Américains ont magnifié la fête de la Saint-Valentin, une célébration mièvre et puritaine à l'instar des amoureux de Peynet – Peynet ? non, évidemment, elle ne connaissait pas les dessins de Peynet –, en camouflage du manque d'érotisme de leur société. En Europe, Russie comprise bien sûr, on a le sang chaud, les sens à fleur de peau. La Saint-Valentin fait le bonheur des bijoutiers et des fleuristes, et le nôtre, ce soir. Margarita buvait ses paroles comme du petit lait, petite fille étonnée, les mains sous le menton.

Au digestif, de la vodka à l'herbe de bison, Margarita proposa gentiment de nous tirer les cartes. « Pour votre amour ! », proposa-t-elle à Frédéric, dont le rationalisme s'opposait farouchement à toute tentative de voyance. « Une seule carte alors, ce sera une image d'amour pour la Saint-Valentin », insista-t-elle d'une voix rauque. Frédéric se résigna à battre les cartes. Margarita les lui prit des mains d'un geste professionnel et les étala sur la table basse, le regard en feu. Elle s'assit en tailleur, dos à la cheminée. Nous répondîmes à l'invite et nous nous mîmes à l'aise, face à elle sur le tapis, attentifs comme deux écoliers. « Tirez une carte, Frédéric ! »

La carte représentait un trio attablé. Frédéric et moi nous reconnûmes tacitement dans le couple face à face. Le troisième personnage y était représenté de dos. Frédéric toussa. Le voisinage du feu me parut intenable. Je transpirais. J'ôtai le chandail enfilé sur le conseil de Margarita. L'un de mes seins s'échappa de mon élégant bustier. Margarita se pencha pour en ajuster la bretelle. Au même moment, Frédéric posa une main sur mon épaule, sa main se retrouva sur la sienne. Mon dos frémit sous la double caresse. Margarita retira ses doigts. Son rire fêla mon miroir ludique et, en s'amplifiant, gagna Frédéric. Je fus prise à mon tour d'un fou rire libérateur. Des larmes de soulagement me montèrent aux yeux. Margarita trinqua avec nous. Elle but cul sec son verre de vodka entre deux secousses du rire orgasmique qui nous habitait tous trois. « Je sens... je sens la barbe qui me pousse sur mes joues ! », réussit-elle à bégayer à mon intention. Nos rires moururent en vaguelettes sur la grève de nos pensées télépathes. Margarita se leva et m'embrassa les cheveux. « À demain au manège, ma Valentine ! » Frédéric resta silencieux. Les rouages de la machine à fantasmes s'étaient grippés. Un corps étranger s'y était infiltré sous la forme d'une poupée russe. La pensée que Margarita aurait pu se laisser courtiser par mon mari me fit battre le cœur. Je m'étais administré, sans le vouloir, une petite frayeur. Nous dormîmes cette nuit-là enlacés devant la cheminée, enivrés d'un parfum russe bon marché.

Monique AYOUN

SORAYA,
DE L'EXIL À L'EXTASE

À cette époque, Soraya attendait. Elle attendait un miracle. Elle attendait une métamorphose. Elle attendait le Messie. Elle ne savait pas elle-même ce qu'elle attendait. À la tombée de la nuit, elle marchait dans les rues avec cette curiosité, cette anxiété mêlée d'espoir que l'on éprouve au théâtre quand le rideau se lève. Les feux de la ville, les lampadaires, l'éclat des vitrines, tout semblait à la fois l'inviter et l'exclure. À chaque instant, à chaque tournant de rue, à chaque regard qu'elle croisait, elle avait le sentiment de frôler un centre invisible et brûlant qui tourbillonnait furtivement autour d'elle et soudain disparaissait... Elle finissait par rentrer chez elle, tard la nuit, exténuée et bredouille.

Paris la décevait. Elle n'y vivait que depuis quelques mois, dans une de ces tours anonymes et lugubres de la porte d'Italie. Avant, elle ne s'était jamais figuré l'immensité et la froideur des grandes villes.

Ses seuls complices dans cette traversée du

désert étaient deux hommes dont elle ne savait rien. Le premier la regardait chaque soir se déshabiller à travers la vitre au verre inégal. Du douzième étage de son appartement, Soraya aimait se laisser voir par ce locataire de l'immeuble d'en face. Un homme brun, le torse nu, qui lui offrait sa verge tendue sans la quitter des yeux.

Alors, elle caressait sa fourrure sombre devant lui qui, de l'autre côté de la rue, mimait les mouvements de l'amour. Elle se cambrait, le ventre et les seins accordés au rythme solitaire de cet inconnu. Parfois même, elle dansait, tête renversée, les hanches nouées dans un foulard étincelant. Elle ne jouissait pas. Cela l'excitait, c'est tout. Ce n'était qu'un jeu.

Avec l'autre inconnu, elle avait des relations plus tendres quoique tout aussi troubles. Il l'appelait à 7 heures chaque matin pendant qu'elle dormait.

La première fois, ce fut par erreur. Elle n'avait pas raccroché assez vite, et après c'était trop tard : la voix de l'homme collait à son corps. Ou plutôt coulait dans son corps. Les paroles lui échappaient. C'était peut-être des banalités. Seule la voix suffisait. Ce n'était pas une voix comme une autre. D'abord elle ne paraissait pas venir de la gorge. Et elle n'allait pas non plus où vont les voix en général. Elle n'allait pas aux oreilles en tout cas. La voix de l'homme coulait sur ses épaules et sur ses bras, miel délicieux qui dégoulinait sur son ventre, sur ses seins, tout le long de ses cuisses, jusqu'à lui glisser dans le ventre, dans les reins, avec une heureuse abondance...

Soraya ne voulut rien savoir de lui, pour préserver cette magie. Et il accepta finalement de ne jamais essayer de la rencontrer. Elle ne connaissait de lui que son prénom : Paul. Elle savait aussi qu'il était fin et subtil. Par exemple, il ne se permettait de la tutoyer et de se branler que lorsqu'il la sentait prête. Alors, sa voix se voilait. Il haletait légèrement. Il la rudoyait un peu. Lui donnait des ordres : « Montre-toi. Découvre-toi. Prends un sein dans ta main. Oui, voilà, comme ça, tu es tellement belle ! » Soraya, le combiné coincé contre l'oreille, ouvrait violemment sa chemise, ses seins très blancs jaillissaient comme deux oiseaux délivrés, elle les prenait à pleines mains, en taquinait la pointe tendue ainsi qu'il le lui demandait, puis les malaxait, les lui offrait... « Ouvre tes cuisses, soufflait Paul, glisse un doigt dans ta fente, tes petites lèvres sont si roses, si exquises, je les vois d'ici, ça me donne faim, soif, je te bois, je te lape, je te déguste, je t'absorbe, je te m'entre par tous les pores de la peau, avec ma langue, avec ma tête, avec mon sexe, avec mes doigts partout sur ton corps. Tu me sens, ma chérie, tu me sens comme je te sens ? »

C'était bête. C'était absurde. Mais ça marchait. Oui, elle le sentait, oui elle sentait son désir flamboyant, oui il était là, près d'elle, sur elle, en elle, ils roulaient ventre à ventre sur le plancher et s'emmêlaient et s'entre-dévoraient désespérément jusqu'à ce que tout bascule dans le néant. Ensuite, Soraya se retrouvait toute seule, inutile, dans son lit. Entre ses jambes trônait le téléphone. « Tout ça est ridicule », pensait-elle. Mais Paul ne raccrochait pas; il la cajolait avec des paroles. « Tu es merveilleuse, j'aime t'entendre crier. Tu as bien joui. »

C'était vraiment un amant parfait. Elle avait droit à la totalité du récital. Même à la tendresse post-coïtale! Mais elle avait beau se moquer, au fond elle appréciait.

Dans la journée, elle ne se souvenait plus de Paul ni de ces moments. Elle écrivait des lettres à ses parents en Iran. Elle se promenait vers midi du côté de la Seine, et la ville se mettait à ressembler au rêve qu'elle s'en faisait enfant. Elle repensait à sa tante Leila, que la famille surnommait « l'excentrique », Leila et son insolence, Leila et ses rires éclatants, Leila et ses robes sensuelles... Ne lui devait-elle pas son goût de l'inconnu et de la liberté?... Mais Soraya s'empêchait de rêver pour vivre plus intensément le présent. Elle avait son travail à mi-temps dans une librairie minuscule rue Saint-Jacques. Elle avait ses cours à la Sorbonne, ses cours de chinois, d'anglais et de littérature. Elle rencontrait des étudiants et des professeurs. Marchait dans les rues, en s'arrêtant souvent. Commandait des Paris-beurre et des petits crèmes dans des cafés enfumés et bruyants.

Paul n'existait pas. Il n'avait ni corps ni visage. Il n'était qu'un souffle contre son oreille. Pourtant, durant toute cette année, il lui tint lieu de père, de frère, d'ami, d'amant, de confident, voire même d'analyste. Car à présent c'est lui qui écoutait. Dès que la sonnerie retentissait, Soraya, sans se lever du lit, décrochait, calait le combiné, tirait le drap sur sa tête et se rendormait. « Dors, Soraya, dors..., murmurait Paul. J'aime écouter ton souffle, j'aime t'écouter dormir... » Et il laissait le silence s'installer. Il accordait sa respiration à la sienne. Alors, Soraya, tout doucement, du fond de son sommeil, se mettait à parler. Elle lui disait ses peurs, ses rêves, ses pensées, elle parlait par associations d'idées, comme sous hypnose, elle ne savait plus où était le monde ni où elle était, elle ne savait pas même ce qu'elle disait. Lorsqu'ils faisaient l'amour, après, les sensations étaient plus fortes, plus étranges.

« Déshabille-toi, Soraya. »

Il suffisait de ces mots, de ces simples mots, pour qu'aussitôt elle entre en transe. Sa poitrine et son ventre se couvraient d'un voile de sueur. Ses joues s'enflammaient. Elle se mettait nue, le sexe offert, envahi d'ondes exquises. Et elle attendait, la parure de ses cheveux noirs déployée sur ses seins. Elle attendait qu'il l'entraîne avec lui dans son flot de paroles. Elle attendait de sentir le monde déferler et s'anéantir. « Ouvre tes jambes. » « Écarte tes lèvres... » Son clito arborait un bout rose très fier, une très fine liqueur le faisait briller. « Viens, maintenant, disait-il. Explose, défonce-toi. » Soraya était à vif. Elle se tordait dans tous les sens. Elle imaginait le sexe et le corps de Paul. Elle buvait sa voix comme une sorte de philtre diabolique. Elle se voyait avancer vers lui par petits bonds saccadés, à la serpentesque manière des danseuses du ventre. Elle se contorsionnait sur lui comme une chenille de velours déroulée. Elle le lapait, le butinait, le dévorait, le lâchait, le reprenait, l'enroulait de ses jambes, l'inondait de cheveux, de baisers, de caresses, de seins gonflés et quémandeurs, du fluide intempestif de son ardeur, et tout cela coulait sur lui en pluie diluvienne, mais il ne voulait pas la prendre, non, pas la prendre, il faisait seulement don de son souffle, de ses mots, de son écoute infinie, de sa langue. Oh ! sa langue, sa langue brûlante et glacée, quelle merveille, quelle invention lumineuse, quelle géniale trouvaille, elle se glisse, elle se love, elle se tortille, elle se balade et fait l'anguille, longue et délicieuse, transformant Soraya en brasier torride, en fournaise de tous les diables...

Le cours préféré de Soraya à la Sorbonne portait sur les poètes du XIXe. M. Herrmann, le professeur, était un homme bourru mais brillant. De ses analyses naissaient des instants de clarté éblouissante. Le cou large, le regard perçant, les lèvres épaisses, il arpentait de long en large la pièce en lisant un texte à haute voix, puis en le décortiquant. Quand il s'interrompait, c'était pour aboyer une question. Pendant son cours, les étudiants étaient attentifs et tendus à l'extrême. Ils n'osaient ni bouger, ni se regarder, de peur d'être interrogés brutalement.

Cet après-midi-là, M. Herrmann parlait d'*Une saison en enfer,* mais Soraya n'écoutait pas. Les phrases tourbillonnaient et se diluaient dans sa tête comme une eau incolore. Elle contempla au loin le feuillage rouge d'un arbre, puis elle griffonna des visages sur sa feuille de papier.

Quel pouvait bien être celui de Paul ?

À quoi pouvait bien ressembler cet homme ?

Elle pensa qu'elle ne pourrait plus vivre avec ce fantôme en elle. Il fallait qu'elle le touche, il fallait qu'elle l'accouche, qu'elle le voie, qu'elle le viole. Il lui fallait d'urgence cette chaleur dévorante de sueur et de peau où l'on s'incruste l'un dans l'autre en combat charnel, et tant pis si c'était un fiasco. Ce soir...

Elle entendit son nom et fut arrachée à ses pensées. « Mademoiselle Soraya Sün, cria le professeur en jouant des inflexions chaudes de sa voix, que signifie pour vous : “ Je voyais de l'or et ne pus boire ” ? »

Soraya se tourna vers lui et remarqua ses grosses lèvres lorsqu'il prononça le mot « boire ».

« Ce n'est pas possible de boire de l'or », balbutia-t-elle en se redressant sur sa chaise et en essayant de se souvenir du poème. M. Herrmann haussa les épaules et tourna la tête en quête d'une réponse plus satisfaisante. Mais elle poursuivit : « Ça signifie que l'assouvissement total, le parachèvement, ça n'existe pas, ce n'est pas possible, ce n'est pas pour nous, ça signifie qu'on ne s'en donne pas le droit peut-être, ça signifie en tout cas que Rimbaud est resté au bord de quelque chose de merveilleux sans jamais pouvoir l'atteindre, et qu'on est incapable, tous autant que nous sommes, de faire gicler toute la lumière qu'on a dans le ventre. »

Soraya était rouge et essoufflée. Elle avait parlé d'une traite. M. Herrmann la regardait, l'air surpris. Les autres étudiants faisaient de même. Le silence s'éternisait. Elle aurait voulu disparaître, s'enfoncer sous terre. Le professeur continua à parler et tout rentrait dans l'ordre quand tout à coup elle fut prise de vertige. Mais elle se remit bientôt. Cela lui arrivait, depuis quelque temps. Décidément, elle devenait trop sensible. C'était à force de vivre dans un état de désir permanent. Désormais elle était envoûtée. Partout où elle allait, le désir et la voix de Paul la suivaient. Le jour, la nuit, elle était excitée, sans arrêt. Elle faisait des rêves, les larmes lui montaient aux yeux et au sexe pour un rien et elle aurait pu s'évanouir rien qu'en contemplant un rideau de voile pénétré de soleil.

À la fin du cours, pressée de partir, Soraya fourra ses livres et ses papiers dans son sac. Alors, elle vit M. Herrmann debout à côté d'elle.

« Ça ne va pas, mademoiselle ? », demanda-t-il.

Il posa la main droite sur la table.

« Si, si, répondit-elle d'une voie menue, ça va très bien merci. »

Il restait immobile devant elle. Il semblait vouloir dire quelque chose, mais il se mit à fixer la fenêtre.

Soraya recula, remercia encore, enfila son manteau et sortit rapidement.

Elle claqua la porte du studio, se déchaussa, ôta son T-shirt, ses bas, et s'allongea, haletante.

Elle pensait à la salle de classe, aux ondes de chaleur qui s'y diffusaient. Soudain, elle s'aperçut que l'homme de l'immeuble d'en face était là. Elle se releva et courut fermer avec hargne les volets. Son voyeur, elle le détestait à présent, car il ne voulait que voir, il se contentait de cette jouissance à blanc, solitaire... Pourvu que Paul ne lui ressemblât pas. Pourvu qu'il ne fût pas son frère jumeau : un... comment dire ? un *entendeur ?* Elle décrocha le téléphone et, pour la première fois depuis qu'elle le connaissait, l'appela. Il ne se déroba pas, bien au contraire, mais fixa le rendez-vous pour le vendredi soir. Quatre jours d'attente ! On était seulement lundi. Jamais Soraya n'avait ressenti en elle une aussi grande soif d'amour et en même temps une si grande solitude.

Ce furent pour elle quatre jours de brûlante impatience. Quatre jours d'exaltation intense. Quatre jours à imaginer sans cesse quel corps, et quel visage il avait. Quatre jours à prendre des bains parfumés, à s'enduire la peau d'essences nouvelles, à se polir les genoux, les coudes et la plante des pieds, à faire briller ses cheveux et luire sa fourrure, à peindre ses ongles et le bout de ses seins en rose, à essayer trente-six tenues qui épousaient ses rondeurs au galbe provocant...

À l'heure et au jour dits, récurée, coiffée, lustrée, Soraya attendait sur une chaise, aussi raide qu'une poupée. Tout à coup, elle se leva comme un ressort : non, ça n'allait pas, elle allait se retrouver nez à nez dans la froide lumière avec un parfait étranger. Elle attendait trop de cette rencontre, c'était le fiasco assuré... Son corps d'homme serait trop encombrant, sa présence trop brutale. Et qu'allait-elle lui dire, alors ?

« Éteignez, je vous en supplie, et parlez, parlez sans vous arrêter, dites n'importe quoi, laissez votre corps au vestiaire et donnez-moi seulement votre voix, c'est votre voix que j'adore, votre voix toute nue, sans rien autour, ni peau ni poils. »

Ou bien c'est lui qui ferait la fine bouche. Il entrerait, l'embrasserait en copain sur les joues et s'installerait devant la télé... Finalement, Soraya opta pour le mystère. Elle laissa la porte entrouverte, éteignit toutes les lumières, et attendit toute nue dans le noir. Une peur excitante faisait battre son cœur et ses tempes. Elle se disait : il va arriver sans bruit pendant que je dors... Comme tous les matins au téléphone, il va s'insinuer en douceur dans mon sommeil et dans mon corps...

Mais au bout d'un moment, Soraya se secoua, s'habilla et se rua dehors. Une force la poussait. Elle marcha des heures et des heures au hasard de la ville. Puis elle descendit sur les quais de la Seine et s'assit sur un banc. Ses doigts étaient gelés. L'eau noire étincelait.

Alors elle repensa au visage de M. Herrmann, avec son air sombre et ses lèvres épaisses, et au fameux vers de Rimbaud : « *Pleurant, je vis de l'or mais ne pus boire...* »

Et elle était sûre de pouvoir concilier un jour en elle et les lèvres et la voix.

Françoise REY

LE PATIN À ROULETTES

Frédéric était un garçon doux et paisible, mais sa tranquillité, de surface seulement, lui permettait de cacher une excessive émotivité. Il articulait de rares phrases avec une sorte d'application réfléchie pour qu'on ne s'aperçût pas qu'il bégayait facilement. On le croyait mûr, plein d'une richesse intérieure qui le rendait dédaigneux des frivolités, quand il n'était que timide et gauche, et silencieux la plupart du temps par prudence. Il avait eu quelques aventures : sa belle petite gueule de blond presque roux, au regard clair, aux lèvres tentantes, aux éphélides enfantines, savait plaire et séduire. Mais il n'avait gardé, de ses étreintes avec de trop jeunes filles, que des souvenirs rapides et frustrants et l'impression bizarre, même s'il les avait possédées, d'être resté chaste... Frédéric rêvait aux Femmes.

Ce rêve était devenu lancinant depuis sa rencontre avec Mario. Mario occupait une chambre voisine de la sienne, à la résidence. Et Mario aussi rêvait aux Femmes. Mario, brun, ténébreux, beau parleur, excellait à sourire et à plaisanter, ne tremblait ni d'entreprendre ni d'échouer, mais attendait toujours l'aubaine d'une rencontre qui l'eût ébloui. Au fil des heures partagées, moments de veille et d'étude, flânerie aux terrasses, repas au self, Mario ne manquait pas de reprendre et de fignoler, détail après détail, le portrait de la maîtresse idéale, pleine d'expérience et d'initiative, ignorante des tabous, fringante, fantaisiste. « Une belle salope, tu vois, disait-il, plus très jeune, pas vieille non plus, attention ! mais une claire et nette, qui va tout de suite te montrer qu'elle pense à la même chose que toi. » Frédéric ne répondait pas. Son œil bleu pâle s'élargissait sur la vision d'une improbable délurée qui le saisirait par le col de son blouson pour lui planter en pleine bouche le baiser du signal.

Un jour, Mario dégota une place de veilleur de nuit dans un petit hôtel parisien. Place qu'il offrit à Frédéric de partager, parce qu'il ne pouvait pas l'assumer entièrement sans risquer de compromettre ses études. Ils travaillèrent donc à tour de rôle une nuit sur deux, et n'eurent désormais plus qu'une après-midi par semaine pour se retrouver. Mais ils possédaient maintenant de quoi alimenter leur fantasme commun : ils avaient pris l'habitude, sur l'instigation de Mario, de noter dans un carnet spécial la description de toutes les voyageuses seules et potables descendant à l'hôtel, pourvu qu'elles eussent évidemment dépassé la trentaine, les classant en catégories sophistiquées, de la brune chef d'entreprise avec attaché-case et cravate, à la blonde désœuvrée, touriste blasée au soupir geignard, en passant par l'intellectuelle, coupe courte et lunettes, qui oubliait toujours le numéro de sa chambre. De semaine en semaine, leur catalogue s'élaborait et, à la lecture de chaque portrait, le jeu consistait à imaginer un abordage différent chaque fois et approprié au type de spécimen étudié. On divaguait, on en rajoutait, on s'amusait beaucoup. Puis Frédéric, le premier, redescendait sur terre pour dire, avec cet air grave qui le rendait si charmant à son insu : « Tu parles, même si ça marchait, on serait sûrement déçu ! » Et Mario fronçait une mine dubitative et tentée pour répondre : « Va savoir !... »

Ce soir-là, un mardi, Frédéric occupa son poste à l'hôtel dès 19 heures 30 et, comme d'habitude, ouvrit le tiroir où Mario et lui, alternativement, rangeaient leur carnet, pour prendre connaissance des figures de la veille, en attendant de noter ses propres découvertes. Ce qu'il trouva à la page du lundi fit battre son cœur. Mario avait seulement écrit, d'une écriture saccadée par l'émotion : « C'est arrivé ! je te raconte tout mercredi première heure. »

Dès le lendemain, sacrifiant une grasse matinée réparatrice, Frédéric frappait chez Mario qui avait séché ses cours pour l'attendre. Mario arborait une mine de conspirateur épanoui, multipliant les exclamations (« Ah, mon vieux ! ») et les claquements de langue. Enfin, il raconta.

« Elle » était arrivée vers 20 heures 30. Il ne l'avait pas reconnue, d'abord. N'avait même pas envisagé de la noter dans le carnet. Non qu'elle fût laide. Pas très belle non plus d'ailleurs, mais un certain charme. La quarantaine. L'air très fatiguée. Ce qui avait gardé Mario d'inscrire la voyageuse au catalogue des « abordables », c'est la minerve qu'elle portait. Elle semblait beaucoup souffrir, et quand elle apprit que sa chambre, retenue d'avance, était au troisième sans ascenseur, elle eut une grimace d'effroi. Mario aperçut alors son bagage surchargé, déclara : « Je vais monter votre sac. – Merci, c'est gentil », dit-elle. Puis le téléphone sonna, elle ajouta tandis qu'il décrochait : « Je vous précède. » Il la regarda attaquer l'escalier avec une pesanteur rigide.

Un quart d'heure après, elle redescendait. « Vous m'avez oubliée », fit-elle un peu tristement. Il s'excusa, se leva, et attrapa le sac – pas si lourd qu'il y paraissait, somme toute – et grimpa sans se retourner. Devant la porte de la chambre, une des anses du sac craqua. Le bagage mal fermé laissa échapper... un patin à roulettes ! Il le ramassa, perplexe. Elle arrivait derrière lui. Il lui tendit l'objet, eut un regard interrogatif. Elle sourit : « Ça, expliqua-t-elle, c'est pour mon dos. Ça soulage mes douleurs. Enfin, quand j'ai quelqu'un pour m'aider ! » Mario avait l'air ahuri. Elle continua, tandis qu'ils pénétraient dans la chambre : « Oui, j'ai trouvé ça par hasard, un jour. Les roulettes, de chaque côté de la colonne. c'est souverain : ça détend les crispations les plus rebelles. D'habitude, je demande à une petite femme de chambre ou bien une serveuse... » Elle venait implicitement de lui poser une question. « Non, dit-il, le soir je suis tout seul, jusqu'à 6 heures demain. » Elle haussa à peine les épaules, douloureusement. Il aurait parié qu'elle allait pleurer. « J'ai tellement mal, ajouta-t-elle, ça me rend folle ! » Plus tard, il jurerait à Frédéric qu'il ne savait pas si c'était la compassion ou quelque chose de plus trouble qui lui avait soufflé sa proposition. « Montrez-moi, si vous voulez, je peux essayer », dit-il.

Après, tout était allé très vite. Il s'était retrouvé assis au bord du lit, le patin à la main. Elle, ayant quitté la veste et la jupe de son tailleur, s'était allongée à plat ventre. Elle ne portait pas de lingerie spécialement érotique : un collant, une culotte, un caraco sur un soutien-gorge beige. Quand il eut compris ce qu'elle attendait de lui, il commença de lents va-et-vient avec le patin, du creux de sa taille à la naissance de sa nuque. Elle gémit bientôt de bien-être. Puis elle enleva sa minerve. Puis elle dit encore : « Attendez ! », et elle ôta le caraco et dégrafa le soutien-gorge, qu'elle laissa tomber près du lit. Il eut le temps d'apercevoir deux jolis seins qu'elle écrasa immédiatement contre le matelas. « Encore ! », supplia-t-elle. Il recommença à rouler l'objet, doucement, régulièrement, de part et d'autre de la colonne vertébrale. Elle se mit à onduler, accompagnant chaque aller d'une petite plainte heureuse, chaque retour d'un soulèvement de reins de plus en plus marqué. Mario, à pied d'œuvre, hésitait encore à la juger sincère ou perverse. Elle avait enfoui sa tête dans ses bras repliés, il l'entendit prononcer d'une voix étouffée, très lointaine : « Vous êtes adorable ! » Alors, il posa le patin, attrapa délicatement les bords du collant et de la culotte ensemble, et les roula sur les hanches assez joliment galbées de sa malade. Il la dévêtit ainsi complètement, reprit le patin, le lâcha encore quand, montant à la rencontre du plaisir, elle ouvrit sous ses yeux, à la jointure de ses fesses – un peu plates – une faille sombre, luisante dans ses broussailles noires. Elle ne protesta pas lorsqu'il s'installa derrière elle, promena sur la croupe dansante son sexe gorgé qu'il venait de libérer. Elle dit seulement : « Encore, le patin ! » Il assura sa conquête d'une main, s'ancra au fond de la fente qu'elle lui offrait, et reprit, de l'autre main, ses voyages sur les roulettes miraculeuses...

Frédéric, à ce récit surprenant, n'eut pas une seconde la tentation de douter. Mario semblait encore trop ravi, trop exultant. Simplement, il trouvait la fortune bien injuste, qui déléguait à ce débrouillard, cet insolent, ce veinard, une chance que lui, si timide et désarmé, ne rencontrerait vraisemblablement jamais. Après un moment de silence, il lui demanda : « Tu crois qu'elle t'a vraiment cherché, ou bien c'était un vrai mal de dos ? » L'autre eut une moue d'ignorance : « Les deux, sûrement. »

Les mois passèrent, stériles de nouveaux événements à se mettre sous la dent. Mario guettait, derrière son comptoir, la réapparition de celle qu'il ne nommait plus que « le patin à roulettes ». Frédéric, lui, pensait qu'elle ne reviendrait jamais. Il travailla dur pendant ses heures de faction, renonçant même au facétieux plaisir du carnet. La fin de l'année universitaire le combla d'un diplôme qu'il arrosa dûment. Et quand il prit son poste, ce soir-là, un soir d'été précoce, alourdi d'une chaleur anormale, il flottait encore dans les brumes heureuses de son succès et des libations qui l'avaient célébré.

« Elle » entra dans le hall de l'hôtel à 20 heures, et il la reconnut sur-le-champ. Beaucoup plus belle que Mario le lui avait dit. Mais Mario était un séducteur difficile. Plus jeune aussi. Elle portait de la même main une valisette et, dans un sachet transparent, un coffret de patins à roulettes. Elle avait abandonné sa minerve et semblait en pleine forme. Frédéric se sentit sourire malgré lui. Elle s'approcha, expliqua qu'elle avait retenu une chambre, déclina un nom. Il répondit, s'époustouflant lui-même de son audace : « Comment va votre dos ? » Elle marqua un temps d'arrêt, alarmée. Il se gourmanda : « Quel con je fais ! Elle se sait repérée, maintenant. J'ai tout foutu en l'air. » Mais après un interminable et terrible regard d'au moins deux secondes, elle rétorqua : « Pas mal, et le vôtre ? »

Frédéric aurait voulu garder son sang-froid, afficher une sorte de gravité de bon aloi mais il ne pouvait s'empêcher de resplendir, les coins de la bouche aux oreilles et les yeux pleins d'étincelles. « Je monte vos bagages ? », demanda-t-il. En une pirouette, il jaillit près d'elle et s'empara des deux sacs avec un petit trémoussement burlesque qui la fit éclater d'un rire incrédule. Dans l'escalier, il se retourna, toujours radieux, souleva d'un air malin le coffret de patins, et annonça : « On fait des trucs formidables avec ça ! » En même temps, un autre Frédéric, tout petit et terrorisé, se ratatinait au fond de lui, rentrait la tête dans les épaules comme devant l'imminence d'une catastrophe.

La superbe créature qui le suivait (elle était vraiment très belle, de plus en plus belle, mince et pulpeuse à la fois, brune de peau et de cheveux) sans s'émouvoir demanda : « Vous pratiquez ? » Le tremblant Frédéric, ébahi, entendit son abominable double proposer avec un infernal aplomb : « Une petite démonstration ? » Il sut qu'il touchait au but quand il la vit rouler des prunelles effarées autour d'elle, jauger l'étroitesse de l'escalier, l'incommodité des lieux. « Où ça ? Là ? », fit-elle avec une certaine angoisse.

C'est dans la chambre que le nouveau Frédéric élimina définitivement son ancienne dépouille d'effarouché, qui s'effaça enfin pour ne plus jamais reparaître. Il attrapa délibérément la boîte de patins, commença à l'ouvrir. Elle tenta de protester :

« Qu'est-ce que vous faites ? Arrêtez !

– La démonstration, dit-il.

– N'abîmez pas le paquet, c'est un souvenir que je rapporte à un gosse !

– Oui, oui », dit-il rapidement ; comme il aurait dit « À d'autres ! ». Puis, un patin brandi, il ordonna : « Déshabillez-vous et couchez-vous à plat ventre ! »

Elle semblait sceptique au plus haut point, déchirée par l'hésitation. Il se fit tendre : « Je ne vous ferai pas mal, vous allez voir ! » Alors, soudain, elle parut se résigner à ce jeu qu'elle n'avait pas, cette fois, orchestré. Elle enleva sa robe. À cause de la chaleur, elle n'avait rien en dessous qu'un léger slip blanc et un soutien-gorge assorti. Frédéric ne s'attarda pas à la contempler, désireux de lui prouver sur-le-champ sa bonne volonté et son efficacité. Docile, elle se laissa disposer sur le lit. Il s'installa sur elle, à califourchon sur ses fesses, sans peser pourtant. Et il commença les voyages du patin, comme Mario les lui avait décrits, lentement, consciencieusement, partant très bas du bord du slip, atteignant tranquillement le creux des omoplates, l'orée des cheveux noirs qu'elle portait courts, redescendant suavement, remontant encore... Elle, d'emblée, avait adopté l'attitude qui avait si fort encouragé Mario, la tête dans ses bras repliés, comme pour ignorer et autoriser ensemble ce qui se passait derrière elle. Elle dit seulement, à voix sourde : « Étonnant ! » Frédéric sentit ses capacités reconnues, son aptitude glorifiée. Il s'appliqua encore un moment, jusqu'à faire lever chez elle cette houle dont son ami lui avait parlé. Et quand elle commença à onduler de partout, à geindre, à respirer convulsivement, il se permit de la regarder vraiment et de la désirer. Il se mit à bander avec une force douloureuse. Il se coucha sur elle qui bougeait comme une plante aquatique et, la bouche à son oreille, murmura : « Tu sens comme tu me fais triquer ? » Elle répondit d'un gémissement prolongé, souleva la croupe sous le barreau qu'il lui offrait, pria : « Encore ! Encore, le patin ! », commenta avec une ferveur émerveillée : « Jamais, jamais on ne m'avait fait ça ! »

Il était sûr qu'elle ne mentait pas. Il apportait tant de soin, se concentrait tellement dans ses manœuvres ! Il maniait ce patin, il le savait, mieux que quiconque, mieux que Mario lui-même, il le maniait divinement. D'ailleurs, elle venait de le dire, plutôt de le chuchoter, dans un mouvement cabré et lascif de tout son dos : « C'est divin ! » Et elle venait aussi de lâcher, de ses deux mains jointes derrière elle, les agrafes de son soutien-gorge, puis d'insinuer les pouces dans l'élastique de sa culotte. Il posa le patin pour l'aider, se défit très vite lui-même de ses vêtements, se coucha à nouveau sur elle, enfouit sa bouche dans les boucles de sa nuque, trouva, sous ses paumes, deux seins merveilleux de douceur et d'intelligence qui se donnèrent aussitôt, fiévreux et tendus. Sa bite enflée coulissait en une vallée spontanément séparée pour elle, entre des fesses splendides dont le relief enchantait ses cuisses et son ventre. « Et Mario qui l'a trouvée plate ! pensait-il. Il l'a eue malade, amaigrie, fatiguée. » Il se félicitait de ne passer qu'après l'autre, de jouir mieux que lui d'une partenaire rétablie, métamorphosée, pleine de vigueur et d'appétit. Ses couilles se caressaient aux courbes passionnantes qui dansaient contre lui ; sa queue, hypertendue, se décalottait follement dans l'étroitesse mouvante du couloir qu'il avait envahi. Un instant, il craint de s'abandonner trop vite, mais elle remuait si fort qu'elle le chassa. Il recula alors pour la voir tout entière dans sa frénésie, le cul de plus en plus haut, fendu large par une ornière fascinante, toutes ses entrées secrètes offertes sans ombre au regard, l'œilleton de deux pourpres différents vibrant d'impatience, plus bas les lèvres charnues, béantes, affolantes d'indécence dans les poils noirs. Il posa sa bouche entre les fesses, chatouilla de sa langue la fleur serrée et sombre qui réagit au baiser, l'huila de salive, tandis qu'elle, à genoux à présent, gémissait toujours son plaisir. Lentement, le plus lentement possible, il introduisit son doigt jusqu'au fond de ce cul magnifique, et entreprit de le polir, de l'évaser, de peser sur ses frontières jusqu'à la limite de leurs forces à tous les deux. Elle se prêtait à la caresse avec un enthousiasme bondissant et des cris enroués. Enfin, il sentit qu'elle attrapait entre leurs jambes accolées sa pine survoltée. Il se laissa tirer, entra en elle avec une aisance enivrée, frissonna d'une alarme tragique. Son doigt, au plus profond de la gaine investie, toucha sa queue, à travers des parois d'une élasticité démoniaque. Il sentit qu'il ne pouvait plus se retenir, il reprit de sa main disponible le patin abandonné, le posa sur le dos qu'elle creusait et, au premier voyage, elle gueula. Alors il juta longuement, éperdument, somptueusement...

Il n'en parla pas tout de suite à Mario, se plut à savourer quelque temps son secret, à étonner l'autre par une assurance nouvelle, une désinvolture élégante et drôle qui lui étaient venues avec l'aventure.

Et puis il raconta. Et la grande question fut : Avait-elle prémédité ses coups ? Avait-elle simulé ? Si Frédéric lui en avait laissé le temps, aurait-elle feint, comme avec Mario, des douleurs affreuses ? On en discuta beaucoup, Mario finit par conclure : « Je crois qu'avec moi, en tout cas, elle était sincère. Ce n'est pas tant la minerve : tout le monde peut en mettre une. Mais ces hernies discales opérées, cette longue balafre dans le dos... Tout de même, ça ne s'invente pas. Remarque, je ne dis pas qu'elle ne m'ait pas un peu branché, exprès. Après, elle a dû trouver que l'histoire avait un goût de " revenez-y " »...

Mais Frédéric n'écoutait plus, les yeux agrandis sur un souvenir troublant. Il revoyait le cul, les reins, le dos à ressorts de sa belle maîtresse brune, déchaînés par la volupté, et qui ne portaient, il en était absolument certain, aucune cicatrice...

Cet ouvrage a été réalisé par la
SOCIÉTÉ NOUVELLE FIRMIN-DIDOT
Mesnil-sur-l'Estrée
pour le compte des Éditions Pocket
en octobre 1998